Jean Teulé est l'auteur de seize romans, parmi lesquels *Je, François Villon* (prix du récit biographique) ; *Le Magasin des Suicides* (traduit en dix-neuf langues), adapté en 2012 par Patrice Leconte en film d'animation puis joué au théâtre partout dans le monde ; *Darling*, également porté sur les écrans par Christine Carrière avec Marina Foïs et Guillaume Canet ; *Mangez-le si vous voulez*, mis en scène pour le Festival off d'Avignon puis repris à Paris au théâtre Tristan-Bernard en 2014, tout comme *Charly 9*, qui s'est joué en avril 2014 à l'opéra-théâtre de Metz ; *Les Lois de la gravité*, adapté au cinéma en 2013 par Jean-Paul Lilienfeld sous le titre *Arrêtez-moi !* avec Miou-Miou, et joué en février 2015 au théâtre Hébertot ; *Le Montespan* (prix Maison de la Presse et Grand prix Palatine du roman historique), en cours d'adaptation cinématographique ; *Fleur de tonnerre* sorti sur nos écrans en 2016, adapté par Stéphanie Pillonca-Kervern, avec Benjamin Biolay et Déborah François ; *Héloïse ouille !* (prix Trop Virilo 2015), *Comme une respiration…* (2016) et *Entrez dans la danse* (2018). Quatre de ses romans ont été adaptés en bande dessinée chez Delcourt. La totalité de l'œuvre romanesque de Jean Teulé est publiée aux éditions Julliard et reprise chez Pocket.

ENTREZ DANS LA DANSE

JEAN TEULÉ

ENTREZ DANS LA DANSE

JULLIARD

© Éditions Julliard, Paris, 2018.

ISBN : 978-2-266-28916-0
Dépôt légal : février 2019

1.

Strasbourg – 12 juillet 1518

Rue du Jeu-des-Enfants, une femme sort d'une maison avec le sien dans les bras. Elle est blonde, constellée de taches de rousseur sur le nez et les pommettes sans doute dues au soleil encore brûlant aujourd'hui à l'approche de midi. Retenu au creux d'un coude gauche, le nourrisson ébloui, de trois mois, grimace. La jeune mère très mince, contre le front du petit, étend les doigts de sa main droite en visière pour le protéger de la lumière. Pâle, sans éclat ni luxe – robe grise de crin rêche et vaste voile noir usé enveloppant l'enfant nu dont la peau est si fragile –, ses pas la guident le long de la voie dans un choc régulier de sabots à travers des excréments en putréfaction, des odeurs fétides, des nuées de mouches. Aux abords d'une place entourée de façades à colombages, contre la porte d'un asile, décorée d'une croix, qu'on n'ouvre pas, des gens en haillons tambourinent. L'enfant frémit. La blonde lui bouche les oreilles. Il plisse ses lèvres pour pleurer, elle y dépose un index et traverse un marché vide sans rien aux étals. À présent, sous les arcades d'une rue plus large, les galets arrondis qui la pavent tordent les chevilles de la mère jusqu'à un imposant bâtiment officiel surmonté d'une girouette aux couleurs rouges et blanches de la ville. Elle poursuit tout droit, atteint, à l'ombre des remparts, un pont couvert chapeauté d'une toiture. Au milieu de cette passerelle, elle s'arrête et jette son enfant à la rivière. Dans une onde chargée de chaux éteinte, mauvaise à boire, le nourrisson balance. Ses petits membres y ondulent comme s'il dansait. Il culbute, roule parmi les remous pollués, pivote encore sur lui-même puis coule. Sa génitrice se retourne. Tout est dit pour elle. Par une venelle isolée où la misère pleure, pauvre voile sans boussole, sans étoile, elle s'égare ensuite sous le drapeau de l'évêché devant la somptueuse demeure privée de l'évêque. Un va-et-vient de lourdes cloches sonne midi à la cathédrale, plus haut édifice d'Occident. Celle qui a foutu son fils à la baille lève la tête. Un nuage passe. L'éclat du soleil se voile d'un crêpe alors les ombres roulent sur les sculptures des trois portails – représentations de saints, de prophètes, vices terrassés par des vertus, vierges sages et d'autres folles. Les statues intégrées à l'architecture, fondues dans la pierre, semblent en surgir et s'animer d'un pied sur l'autre. Les corps taillés dans du grès rose paraissent bouger autour des vitraux colorés de l'immense rosace. L'infanticide revient rue du Jeu-des-Enfants.

Sous une enseigne vermoulue où l'on peut encore déchiffrer *Au Copeau de Bois* écrit en langue germanique (*Holzspäne*), décorée d'une imitation agrandie de fragment de sapin, la belle à taches de rousseur ouvre la porte d'un atelier de gravure sentant l'essence d'épineux et l'encre d'imprimerie. À sa gauche, un artiste de son âge, devant la planche qu'il évide sur un pupitre incliné, pose sa gouge et se tourne vers elle :

— Tu l'as fait ?

— Oui.

C'est en dialecte allemand strasbourgeois piqueté de mots français que, devant celle revenue les mains vides, il regrette :

— Tu aurais dû me laisser y aller. Je te l'avais dit.

Lui, grand et maigre avec son allure d'épouvantail, une émaciée figure barbue renvoyant au satyre de l'Antiquité, tente de se justifier devant sa pâlotte assise, tête enlisée à on ne sait quelle absurde profondeur :

— Enneline, en ces temps où le malheur et le poil poussent davantage que l'herbe, tu n'avais plus de lait. On n'aurait pas pu le nourrir. Et puis c'est mieux que de l'avoir mangé comme d'autres le font.

Tap, tap, tap, tap...

Enneline ne répond rien. Les fesses sur un banc près d'une presse de graveur, elle tapote longuement en rythme, du bout des ongles, le rebord de l'appareil à imprimer – *tap, tap, tap...* – puis se lève. Laissant la porte de l'atelier ouverte elle sort dans la rue. En sabots, Enneline étend une jambe derrière elle comme chaussée d'une ballerine et renverse son visage vers le ciel. La blonde pirouette et creuse ses reins, se penche très en avant en soulevant haut ses mains dont elle écarte les doigts. Elle fait un pas de côté puis de l'autre. Ses semelles en bois entrechoquent des immondices. Elle se lance dans un demi-tour, écartant ses bras qu'elle étend avec grâce puis remue en un battement d'ailes de libellule.

2.

Toujours dans cette même voie aux écuries dépourvues de hennissements et aux forges silencieuses, un drapier sans clientèle, voisin de l'atelier de gravure, sort prendre l'air sur le seuil de son magasin. Il gratte sa calvitie couverte de gale d'un air très étonné en ouvrant grand la bouche comme un gobeur de mouches :

— Ben, qu'est-ce qui lui prend à la Troffea de danser ainsi ?

Le galeux tourne la tête vers le jeune barbu ébouriffé qui, décontenancé sous son enseigne décorée d'un copeau, contemple Enneline. S'approchant de l'artiste, le drapier demande :

— Hé, Melchior, pourquoi ta *Frau* (dame) fait ça ?

De l'autre côté de la virevoltante et de la rue du Jeu-des-Enfants, dans une maison en briques, un couple (Attale et Jérôme Gebviller) installé sur des tonneaux de part et d'autre d'un plus gros debout – demi-muid faisant office de table – vient de finir son repas. Une étroite fenêtre, aux carreaux de verre multicolores traversés par les rayons obliques du soleil, éclaire un peu la pièce sombre. Sur le plateau circulaire du demi-muid sans nappe, un rai de clarté rouge illumine, à l'intérieur d'une écuelle en terre, la carcasse étêtée aux côtes grillées qu'on pourrait croire d'un cochon de lait mais c'est celle d'une enfant. D'autres os de petite fille sont posés à même le chêne en une clarté jaune devant une mère brune comme la nuit qui, en silence avec un éclat de tibia, se cure les dents dans une lumière verte.

— Ne fais pas ça ! Ne fais pas ça, Attale !...

En face de celle aux lèvres exsangues, osseuse et maigre comme une chienne affamée, un juron alsacien s'envole aussi de la bouche à moustache du mari affolé qui se lève, laissant Attale seule à table entre les débris honnis d'un désastre. Le tonnelier suffoque puis glisse devant la fenêtre en passant par toutes les couleurs, il rejoint la porte ouverte et déplore, dévasté :

— Mais où on en est arrivés ?!...

Découvrant le rythme du choc hypnotique des sabots d'Enneline dehors, il entend comme un flot qui pleure sur le bonheur mort puis au bout d'un moment sort. Il étire un bras pour, de sa pogne calleuse, saisir une main délicate de la femme du graveur-imagier et ensemble ils dansent la carole au milieu de la rue...

3.

L'un devant l'autre et tapant des talons en cadence, les deux aux doigts emmêlés s'approchent puis reculent, tournent sur eux-mêmes pour se rejoindre ensuite et recommencer. Profitant d'un éloignement, Melchior Troffea s'intercale devant sa femme qu'il enlace mais elle le fuit comme une eau limpide en faisant deux pas en arrière avant que de venir reprendre la main de l'ogre Gebviller. Elle a laissé glisser de ses épaules le voile noir que Melchior ramasse dans des déjections sans quitter des yeux celle dont une partie d'elle-même semble avoir fui l'univers. Le tonnelier ne va pas mieux. Ancien corpulent, sa peau est aujourd'hui avachie, ses joues pendent comme s'il avait eu pour père un orang-outan et son âme paraît, soudain, être en contact avec le néant. Sur des jambes cagneuses il ballotte sans joie de la tête et des mains, le regard aussi absent que celui de la femme du graveur qui les plaint tous les deux.

Pendant ce temps un manœuvre à bonnet de maçon en toile, s'étant approché du drapier devant la porte ouverte des Troffea, observe les deux danseurs puis

pivote pour reluquer l'intérieur de l'atelier. Sur la
presse à imprimer une feuille volante illustrée l'intrigue :

— Ça représente quoi ?

Le drapier, quoique éberlué par le spectacle de la
rue, se retourne quand même :

— C'est la chute de la pierre de tonnerre tombée au
sud de Strasbourg.

Le manœuvre surpris de percevoir une météorite
quittant les nuages, d'un haussement de pouce au sommet du front, remonte le bord de son bonnet :

— Ah bon, il y a eu ça aussi ? Je ne savais pas.
Maintenant, si même les étoiles se mettent à nous chier
dessus !... Et sur ce pupitre, la gravure en cours mon-
trera quoi ?

Alors que l'interrogé découvre une image inache-
vée parmi les instruments du graveur, celui-ci rentre

16

déposer le voile de sa femme tandis que le voisin aimerait savoir :

— C'est quoi, là ?

— Des nouveau-nés siamois puisque ces temps-ci on assiste dans Strasbourg à tant de naissances anormales.

Le drapier n'en revient pas :

— Des enfants soudés par le front... Dieu est-il devenu fou ?

— Je finissais de les représenter quand Enneline est revenue du pont du Corbeau.

— Ah, vous aussi...

— Comment faire autrement ? grimace l'imagier. Chez nous, on en est à mâcher nos feuilles de papier destinées aux gravures que, de toute façon, nous ne vendons plus. On ronge la réserve comme des rats.

Le manœuvre, lui, contemple longuement la paire d'enfants mis en image, réunis dans un même destin fatal, mais, après avoir aussi lorgné le tonnelier dansant, il plaisante :

— Au moins, ça fait le double à bouffer !

Il s'esclaffe de sa propre blague puis, guignant à nouveau les danseurs, il ne rit plus du tout, soudainement pris de secousses dans les coudes et ses genoux qui l'entraînent vers Enneline et Jérôme.

— Qu'est-ce qu'il a, lui ? demande Melchior au drapier.

— Deux fils qui, afin de sauver leurs parents de la famine, sont allés se faire engager par la France comme mercenaires pour une guerre en Italie d'où ils ne sont pas revenus. Ils doivent pourrir ensemble sous des citronniers de Toscane...

— Ah ? Et sinon, toi ?

— Tu le sais bien, trop de dettes qui me pèlent la tête envers le clergé usurier, la confiscation de mes biens, de ma marchandise, ma femme trouvée pendue à une poutre.

Abasourdi de détresse et n'ayant que ses débiles paumes pour voiler ses yeux qui s'emplissent de tout un ciel de larmes, ce voisin de Troffea voit ensuite des gens quitter leur pas de porte de la rue du Jeu-des-Enfants en pirouettant sur eux-mêmes pour rejoindre la carole dans le sillage d'Enneline. Le drapier se met à onduler et y va également. Il marque le rythme en frappant des mains.

4.

Dans un bâtiment officiel ayant une fenêtre de sa façade ouverte sur la rue des Arcades, le maire de Strasbourg en nage reçoit dans son bureau, comme tous les mardis, son petit conseil de surveillance :

— Alors, mes quatre *Stettmeister*, comment se porte la cité depuis la dernière fois ?

Tandis qu'il entend, au-dessus du toit de l'hôtel de ville, une girouette grincer, l'un de ses adjoints déplore :

— À l'intérieur des fortifications la peste va son train, *Ammeister* Drachenfels, tout comme la lèpre, le choléra, la pourtant rare suette anglaise qui tue en deux jours, la syphilis importée récemment dans les bordels-étuves du quartier de la Petite France par des mercenaires rescapés revenus d'Italie, et puis il y a la typhoïde qui...

— Oui, bon ben ça va, j'ai compris ! interrompt l'*Ammeister*. Depuis janvier, côté épidémies, nous sommes servis. Mais quelle année 1518, pile celle de mon mandat !... regrette Andreas Drachenfels.

Assis sur un tabouret dans l'ombre d'un mur, cet obèse brasseur désigné par les représentants des corporations strasbourgeoises pour se retrouver à la tête de la ville, passé la mi-juillet, n'en peut déjà vraiment plus :

— Sans compter que les fantastiques enchaînements de grands froids, d'inondations, de sécheresse, détruisant absolument toutes les récoltes de nos terres pour la quatrième année de suite, le peuple de Strasbourg qui en crève, au bout d'un moment, moi...

Coiffé de ce qui ressemble à un chapeau melon trop petit attaché par deux lacets noués sous le menton, à l'aide d'un délicat mouchoir en dentelle, il tamponne son front comme pris d'une des fièvres locales mais, lui, c'est à cause de la canicule qu'il transpire. Il porte un bock en étain, empli de bière, entre ses grosses moustaches cocasses dont les extrémités en pointe montent ou s'abaissent selon son humeur. Après qu'elles se sont piquetées d'une mousse blanche et ont un peu descendu : «Bon, le houblon date et l'eau sent la boue mais au moins ça réhydrate», elles se relèvent comme des ailes prenant leur envol car l'*Ammeister*, sous l'emprise de l'alcool frelaté, se met à rêver :

— J'ai le souvenir d'une merveilleuse ville libre et saine que le monde enviait et surnommait *Schlàràffelànd* (pays de cocagne). C'était alors à foison qu'elle battait ses propres florins d'or, cette perle républicaine, enchâssée dans le Saint Empire romain germanique, que la nature avait admirablement favorisée. Autour des remparts, sous un climat tempéré, les plaines nous appartenant offraient avec générosité tous les végétaux. Notre cité était également appelée la cave à vin, la grange à blé, le garde-manger des pays environnants.

Les étals de nos marchés débordaient pour chacun de fruits délicieux, de gibiers, de volailles, longés par des colporteurs tendant à bout de bras les feuilles volantes largement diffusées des graveurs-imagiers qui représentaient des scènes pittoresques et joyeuses de Strasbourg. Nous avions le meilleur marché aux poissons du Saint Empire parce qu'un fleuve impassible nous fournissait toutes les variétés d'eau douce et même quelques espèces voyageuses empruntées à la mer du Nord...

— À ce propos, *Ammeister*, intervient un deuxième adjoint municipal navré de casser l'ambiance, on s'est aperçu que les torrents de boue provenant des grands débordements du Rhin fin mai, en atteignant la ville, ont miné les soubassements de la tour des fortifications de la porte de Saverne. On y a remarqué hier des fissures inquiétantes, constaté qu'une partie des enceintes risque de bientôt s'effondrer alors que l'attaque turque se précise...

— Ah oui, c'est vrai, il y a aussi le danger turc... soupire Drachenfels après s'être enfilé une autre gorgée de bière. Et sinon, vous n'auriez pas quand même une bonne nouvelle ?

Le troisième *Stettmeister* prend la parole :

— Rue du Jeu-des-Enfants, des gens dansent.

— Ah bon, ils trouvent qu'il y a de quoi danser en ce moment ? Si ça leur chante...

— Depuis presque une semaine, relate le quatrième adjoint, ils sont de plus en plus nombreux à se lancer dans des rondes, des farandoles, sans s'arrêter jour et nuit. Beaucoup en tombent d'épuisement, se blessent.

Les moustaches d'Andreas Drachenfels s'affaissent comme les nageoires d'un phoque :

— Ah bon ? Qu'est-ce que c'est que ça encore ?

5.

— Eh bien, les danseurs, n'entendez-vous donc plus l'appel de la messe ?! Deviendriez-vous sourds au dieu des catholiques ?...

Alors que les cloches de la cathédrale sonnent à toute volée, un nuage noir d'ecclésiastiques – moines, clercs, curés, femmes sous des voiles qu'on prend en religion – déboulent à un bout de la rue du Jeu-des-Enfants en poussant leurs croassements – «Cessez de danser !» – d'oiseaux de mauvais augure.

«Vous bafouez le Seigneur qui vous vouera à bien d'autres tourments !» promet l'un qui s'approche. «Allez brûler dans l'Enfer en châtiment de cette folie !» s'époumone un autre les touchant presque. Quant à celui-là, il crache son vitriol : «Les ténèbres totales vont bientôt vous plonger dans une nuit opaque. Il va vous arriver ce qui jamais ne fut !», et se trouve pris dans l'élan d'un *Rheinländer* (ronde des cigognes) qui le bouscule et le roule tandis qu'il poursuit : «Jetez aux flammes votre sorcellerie !»

Parmi cette foule de jambes agitées, jupons tournoyants, bras dessus, bras dessous, où ça virevolte, saute en l'air, des prêtres pratiquent des exorcismes en hurlant d'antiques incantations à l'oreille des déhanchés qu'ils aspergent d'eau bénite. Les sabots font clip-clap, chacun pour eux se conduit mal. À un farandoleur épuisé s'adossant contre un mur – on dirait un ange fatigué reposant ses ailes – un clerc promet : «Tu as dansé. Ceci te sera défalqué de ta portion de Paradis.» L'incriminé répond : «Ah, l'Enfer est ici. L'autre me fait moins peur» et il retourne vers où tout se déforme et se perd, à l'autre extrémité de la voie qui déborde sur la place du marché aux vins par laquelle arrivent les médecins.

Tout comme les membres du clergé, ils sont vêtus d'une robe noire mais coiffés d'un haut cône pointu. Fascinés par ce syndrome collectif, ils déambulent parmi des pieds nus ensanglantés et des visages extatiques, cherchent une raison médicale à cette danse fatale et insensée. Ils observent ceux qui arborent des grimaces, se livrent à des contorsions anguleuses en des poses grotesques comme s'ils avaient les membres disloqués. Ils auscultent leurs ecchymoses, plaies ouvertes, déchirures, s'étonnent de la capacité d'endurance même chez les plus chétifs qui dansent à n'en plus pouvoir. Ils s'interrogent sur l'indicible étrangeté du cerveau humain en soulevant des paupières sur des pupilles dilatées, palpant des cœurs, constatant des accès de suffocation. L'un semble sortir tout droit de son tombeau tant son teint est livide. Un autre est écarlate comme un valet de forge.

— Celui-là, à terre, ne danse plus. Il est guéri ?

— Non, il est mort.

Les ecclésiastiques d'un côté de la rue et les médecins de l'autre progressent avec difficulté dans cet énorme bal jusqu'à se croiser devant l'atelier des

Troffea où Melchior n'est plus qu'une ombre attachée aux pas de danse d'Enneline.

— Enneline ! Enneline ! Mais ça devient fou, Enneline !...

Le mari, catastrophé par le comportement de sa blonde soulevant toujours la poussière, dévisage une nouvelle fois sa face devenue effarée et ses yeux qui ne sont plus que deux trous noirs.

— Écoute bien, chérie, écoute : je t'aime !...

Celle-ci, en état de choc, ne semble plus l'entendre et reste muette en s'agitant alors qu'un médecin qui la scrute se demande à voix haute :

— Danser, est-ce taire un cri ?

Un moine près du docteur rectifie :

— Elle mène une sarabande à damner tous les saints, cette sorcière !

Melchior, face à Enneline qu'il soutient par les aisselles, se tourne vers le tonsuré :

— Malheur à tous les moines riches qui se bouchent les oreilles à l'appel de ma pauvre femme ! Même s'ils frappent fort à la porte du ciel, Dieu ne les entendra pas !

Le discours du graveur est si incisif qu'il ferait de grands trous dans les bulles du pape. Le tonnelier non loin continue de remuer également devant son Attale au déclin de la beauté. Aussi désemparée que le mari d'en face avec sa blonde, cette brune trop maigre refoulée, là où ça sautille, gambade et lance sa cavalière si haut qu'on voit ses jambes sans parler d'autre chose... entend des médecins remarquer que le bas-ventre des danseurs enfle. Elle vérifie du regard entre les pattes de son époux et n'en revient pas :

— Jérôme ! Mais tu...

Contrairement à la constellée de taches de rousseur qui s'entête à rester dans la rue malgré les tentatives répétées de son mari cherchant à la ramener en leur atelier, le tonnelier se laisse facilement entraîner par sa femme vers leur demeure. Pour lui, du moment qu'en cadence il peut gigoter des hanches, que ce soit ici ou ailleurs, il s'en fout. Attale Gebviller fait passer son fabricant de tonneaux entre une tête de petite fille aux paupières closes laissée à l'abandon sur un rebord de cheminée et un demi-muid, table qui n'a pas été débarrassée de restes anthropophages.

C'est à ce moment-là qu'Enneline s'écroule d'épuisement, de détresse et de sommeil au creux des bras de Melchior. Tête la première, sa chute l'illumine contre les manches de celui qui a un besoin impérieux de la traîner jusqu'à chez eux pour ensuite pleurer bien longtemps, front enfoui entre les seins de sa douce qui dormira profondément malgré le grand tapage qui règne dans la rue d'où s'approchent des bourgeois curieux.

Venant de quartiers moins miséreux de Strasbourg, ils assistent au spectacle. Une dame relativement aisée se moque des danseurs gueux qui s'en fichent, peu soucieux qu'on les ignore ou qu'on les voie. En ses passementeries torsadées, dédaigneuse, elle parade fière comme comtesse : l'argent rend arrogant. D'autres, en houppelande convenable, traversent les chaînes humaines et les rondes. Ils y tournent, se retournent, toisant tout le monde, tantôt de haut en bas, tantôt les yeux au ciel, les reluquant de biais, les inspectant de près sous toutes les coutures. Parfois ils les poussent pour passer devant eux, à d'autres moments ils se pavanent, bouchant leur chemin. De l'éducation, ils en ont moins que des veaux mais se révèlent sensibles à la contagion.

La danse strasbourgeoise est comme une eau qui s'infiltre partout parmi les témoins. Ceux que les danseurs atteignent en perdent l'entendement, et entrent tout aussitôt dans la ronde à leur propre étonnement. Face à la colère des curés continuant de gueuler : « Nauséabonde ronde de péchés ! » et des médecins estomaqués, d'autres, qui ont eu tort de s'approcher de cette rue, se voient pris de quelques mouvements irréguliers et de contorsions dans un bras puis une jambe. Peu à peu leur mal empire et finalement aucun membre n'obéit plus à la volonté de ces contaminés qui se laissent aller, rejoignant le grand courant pour en augmenter le terrible chœur. L'autre connasse arrogante qui tout à l'heure dédaignait tout le monde fait moins sa maligne dorénavant en tortillant ses miches comme une dingue et montrant son cul à tous.

À l'écart, une sage petite fille, près de ses parents qui se gaussent des danseurs, en un clin d'œil, avec l'agilité d'un chat, grimpe sur les épaules de son père et se met à s'y balancer, s'y pencher avec autant d'adresse que de rapidité comme la plus habile des funambules, lui ébouriffant les cheveux. Elle fait des mines sacrément étranges, crie comme une désespérée. Alors que son père tente de s'en débarrasser, elle saute d'elle-même à terre pour aller se jeter dans la jupe de sa mère en gémissant de honte et versant les larmes les plus amères sur son sort tandis que le paternel ordonne : « Vite, vite, on s'en va ! » Ils s'échappent effectivement en toute hâte pendant que de plus en plus de gesticuleurs butent contre les murs, saignent et reprennent la danse.

6.

— C'est naturel ou surnaturel ce truc-là ? demande le chef du gouvernement de la ville.

— C'est surnaturel ! s'exclame un évêque.

— C'est naturel ! contredit un médecin.

— C'est entre les deux ! suppose un astrologue.

— Entre les deux ? s'étonne Andreas Drachenfels.

— Oui, *Ammeister*, lui répond Jean Wiedemann de Melchingen. Il doit s'agir d'un phénomène dû à une mauvaise conjonction astrale, un néfaste alignement des étoiles à la verticale de Strasbourg déclenchant un désastre. Nous sommes entrés dans le vingtième degré de la Vierge en opposition à la Tête de Méduse pendant que Mars et le Capricorne sont dans l'ascendant et ce n'est pas bon, ça...

Il parle comme si les étoiles décidaient du sort de la cité et que tout leur obéissait, ce dont doute Drachenfels en basculant ses moustaches de droite à gauche pendant que l'évêque s'offusque :

— Plutôt qu'aux étoiles, il faut croire en Dieu !

Mardi 25 juillet 1518, ce n'est plus dans un bureau que le maire reçoit mais dans la vaste salle de l'hôtel de ville où il a convoqué le grand conseil, à savoir tous les représentants des artisans et marchands de la ville assis sur des chaises alignées devant lui et qui s'impatientent :

— Nous exigeons le retour de l'ordre le long des rues, sur les places et dans les cours, *Ammeister*, réclame l'un d'eux après avoir levé un bras pour prendre la parole. Il vous faut maîtriser cette danse.

— Que je maîtrise cette danse... répète l'obèse Drachenfels en levant les yeux vers le rebord de son minuscule chapeau melon.

Installé dans un fauteuil devant un vitrail aux couleurs de la ville, surmonté d'une cigogne sculptée et entouré de deux statues de femmes symbolisant l'innocence et la justice, il grommelle :

— Cette année ne se révèle pas avare de malheurs de plus en plus dingues...

Pour tenter de comprendre afin de décider ensuite comment faire face à l'ampleur de ce nouveau problème, dans la salle couverte de boiseries, il a voulu, devant tous, consulter les membres de la corporation des médecins formés à l'université de la ville. Il a aussi invité Guillaume de Honstein, élu à la tête du diocèse de Strasbourg, dont il remercie la présence exceptionnelle à la mairie :

— Désirant respecter les règles démocratiques de notre cité républicaine en cas d'urgence, je tenais à ce que notre débat soit également soumis à l'observation bienveillante du clergé.

À droite du maire se tient debout l'évêque, accompagné de son officier ecclésiastique près de l'astrologue. À gauche piétinent sur place trois docteurs à qui Drachenfels demande d'abord leur diagnostic.

— Ce qu'est ce nouveau dérangement survenu en ville, je l'ignore, reconnaît avec humilité un premier médecin (Johann Adelphe Muling), mais je sais déjà ce que ce n'est pas.

— Bon, alors on avance, apprécie Drachenfels.

— Allons ! gronde l'évêque. Il ne s'agit que d'une jonglerie commise par des mécréants s'attelant à une activité illicite sauf les jours de fête, par des briseurs de dimanches !...

L'*Ammeister*, sans bouger la tête, lorgne Honstein avant que de pivoter ses pupilles dans l'autre sens pour continuer d'écouter l'homme de science qui poursuit :

— Contrairement à ce que j'avais d'abord imaginé, nous n'avons pas affaire à une crise d'épilepsie collective. Il suffit de diriger son attention sur l'absence constatée de bave écumeuse, d'un râle saccadé d'étranglement, signalant toujours l'attaque du Haut Mal.

— Qu'on les force d'enfiler des chaussons de fer chauffés à blanc, ça va les calmer ! s'excite le prince-évêque, se révélant prompt à se mettre en colère, à grogner sans cesse comme un chien, sans qu'un mot aimable ne lui tombe de la bouche.

— Guillaume de Honstein, lui rappelle avec diplomatie le maire, ces gens souffrent...

— Dieu n'accepte pas les murmures du peuple !

Ce commentaire plaît moyen, moyen, à Drachenfels dont les extrémités des moustaches oscillent en un va-et-vient vertical pendant que le médecin reprend :

— J'avais ensuite envisagé que les danseurs aient ingéré du pain lacé d'ergot, cette moisissure du seigle provoquant des hallucinations, des spasmes, des tremblements, mais, en fait, je rejette l'hypothèse. Non seulement ces temps-ci, des céréales, on est loin d'en

31

trouver partout mais, quand bien même, ceux qui vivent auprès des danseurs et auraient mangé le même pain ne se mettent pas tous à danser. Et puis surtout les convulsions engendrées par l'ergotisme ne ressemblent en rien à de la danse. La maladie du seigle, diminuant l'afflux sanguin vers les membres, empêche mécaniquement la possibilité de se lancer dans des rondes folles pendant plusieurs jours d'affilée. On ne se trouve donc pas confrontés à un Feu de Saint-Antoine.

— Si Antoine ne peut les désenvoûter, intervient avec autorité Honstein, qu'ils aillent à quelques lieues d'ici en haut de la montagne de Saverne dans la grotte de Guy, prier le saint approprié. Confiez-m'en le pèlerinage, *Ammeister*...

— À coup sûr, monseigneur, conteste le docteur, nous ne sommes pas confrontés à ce qui est nommé par erreur une « danse » de Saint-Guy, ne serait-ce que parce que ce n'en est pas une. Et le mal nerveux d'origine infectieuse dont vous parlez ne saurait contaminer simplement par la vue comme dans le cas très singulier qui nous préoccupe.

Au grand conseil de l'hôtel de ville, la raison médicale n'avance qu'à pas comptés très lents et parfois en boitant et n'approche de son but qu'à la vitesse de la tortue. Ce n'est pas comme Honstein qui, lui, y va carrément :

— Qu'on façonne en effigies ces fervents de farandoles dans de la cire ou de la résine pour les jeter au feu sur une place publique !

Il propose également que les danseurs soient livrés comme esclaves aux Turcs lorsqu'ils attaqueront Strasbourg. Le maire préfère feindre de n'avoir rien entendu à cause des bruits de la ville perçus par les fenêtres ouvertes. Son gros visage transpirant – « Il fait vraiment chaud aujourd'hui ou c'est moi ? » – tourné vers les trois chapeautés d'un haut cône, il aimerait savoir :

— Mais alors que pourrait être la raison de cette épidémie ?

Le deuxième médecin (Laurent Freis) avoue avec honnêteté :

— Elle est trop bizarre pour être accessible à mon entendement.

— Forcément puisqu'elle est surnaturelle ! tonne l'évêque qui tranche, parle haut, s'érige en mentor, fait l'important et devient usant.

— J'aimerais comprendre... soupire Freis.

L'évêque, qui ne tient la médecine qu'en très médiocre estime, balance :

— C'est une curiosité pathologique qui conduit les savants à poursuivre des recherches inutiles, dangereuses, à vouloir investiguer des domaines propres à Dieu seul. Je m'oppose à la conception d'Aristote selon laquelle toute science est bonne. Vouloir comprendre constitue une atteinte blasphématoire à la sphère divine !

— Quant à comment les soigner, s'interroge encore le docteur qui écarte ses mains en signe d'impuissance, alors là...

— Administrez-leur une volée de battes ! prescrit l'élu à la tête du diocèse tandis que l'élu à la tête de la ville, fatigué par les responsabilités de son poste, demande en se tamponnant le front avec un petit mouchoir :

— Est-ce que c'est déjà arrivé, ce machin-là, sur terre ?

— Non, jamais, nulle part, en tout cas pas selon les pages de l'Ancien Testament que j'ai parcouru en quête d'un précédent, intervient l'officier de l'évêque. Il n'y a que les plaies d'Égypte qui égalent en étrangeté cette tragédie.

L'un des docteurs abonde dans le sens de l'ecclésiastique :

— Malgré toute la vénération que l'on porte, nous, plutôt à Hippocrate, force est de constater qu'il ne nous est là d'aucune utilité. Ses écrits et ceux des autres médecins de la Grèce et de Rome n'offrent pas le moindre indice d'où l'on puisse conclure qu'ils auraient eu connaissance d'une maladie semblable.

— Putain ! Et il faut que ça tombe sur moi, se désespère Drachenfels. Mais fermez les fenêtres ! C'est infernal. D'où vient ce vacarme à la fin ?

L'artisan qui s'est dévoué répond en allant accomplir l'ordre du maire :

— Ce sont les danseurs qui remontent la rue des Arcades.

— Ils sont combien aujourd'hui ?

— Je dirais trois cents, cinq cents, peut-être quatre cents... peut-être le double. Comment savoir ? Ça se propage plus vite que la dysenterie.

— En moins de deux semaines, on se retrouve avec sans doute mille danseurs dans une cité de seize mille habitants. Mais alors, avant l'automne, tout Strasbourg sera un bal ! cauchemarde Drachenfels. Quand je pense qu'il y a quelques années Érasme avait écrit des Strasbourgeois : «La discipline des Romains, la sagesse des Athéniens, la sobriété des Spartiates.» Putain, s'il revenait en ville il ferait une drôle de gueule au milieu des agités du cul.

— C'est peut-être ce qui risque d'arriver quand une population doit affronter des conditions matérielles éprouvantes comme jamais et des angoisses telles qu'en connaissent en ce moment les gens de Strasbourg, suggère le troisième médecin, en fait le chirurgien de la ville qui n'était pas encore intervenu.

Le visage bouffi du maire, tournant ses bajoues ruisselantes vers ce praticien, prend alors une expression troublée, grosses moustaches se relevant pour s'écraser contre les narines dont le souffle agite les longs poils blanchis qui ont poussé au-dessus de la lèvre supérieure :

— Poursuivez, Hieronymus Brunschweig...

— On peut supposer que des cerveaux, sous une très violente pression, produisent des comportements aberrants comme la danse ou la paralysie.

— J'aurais préféré la paralysie...

— Victimes d'une crise émotionnelle profonde, les danseurs exprimeraient de cette façon leur malaise comme par somnambulisme.

— Et donc, Hieronymus ?... voudrait encore savoir Drachenfels qui se met à appeler le chirurgien par son prénom.

— Peut-être qu'un groupe enfermé à l'intérieur de remparts peut devenir une entité à part entière avec une synchronisation progressive du comportement. Ce serait donc l'extrême détresse qui serait responsable en prenant la forme saugrenue d'une épidémie de danse, dernier moyen de fuir l'intolérable réalité d'une ville gorgée de souffrance, notamment pour la population devenue miséreuse.

Le propos de Brunschweig convainc Drachenfels mais pas Honstein entouré par le lustre de ses tissus de prélat :

— La population miséreuse... On ne va quand même pas s'amuser à ferrer cette rosse qui serait mieux placée chez l'équarrisseur. Qu'elle se contente de ce que Dieu lui donne. La danse est née avec le péché. À l'évidence, elle est issue du diable !

«On a remarqué chez les farandoleurs un gonflement proéminent du bas-ventre», rappelle le premier des trois médecins à avoir témoigné, croyant utile (à tort) de préciser maintenant ce détail dont s'empare aussitôt l'évêque : «Ah, qu'est-ce que je disais ?! Il n'y a pas de danse sans que Satan y mette sa queue ! »

L'élu de Strasbourg demande à l'élu du diocèse :

— Si les curés ne parlaient plus du diable, de quoi vivraient-ils ?

Drachenfels commence à en avoir vraiment ras le dôme de son minuscule chapeau melon et des lacets noués sous le menton pour retenir sa coiffe, il s'en servirait bien afin d'étrangler cet évêque qui se fout de l'avis des sages, s'imaginant, lui, avoir le discernement d'un dieu tout comme s'il avait bâti sur l'arc-en-ciel.

— Honstein, la municipalité a vu se vider les réserves de grains stockées dans ses greniers, prévues en cas de disette, après les avoir laissées à très bas coût aux indigents. Faites pareil, aujourd'hui, à votre tour ! Ouvrez vos nombreux couvents celliers et bradez ce qu'il y a dedans afin que les gens puissent se sustenter.

L'évêque était prêt à tout entendre mais pas ça ! Il se fâche et réplique que les malheurs sont fruits de chère divine en opposant une fin de non-recevoir malgré l'insistance du maire :

— Écoutez le peuple qui, à sa manière, vous demande à manger.

— La matière du carreau de faïence n'intervient pas pour réclamer : « Je devrais être un pot ! » Dieu, à qui tout revient, sait bien ce qui convient pour chacun des humains. S'il l'avait jugé bon, il aurait fait de tous des roses parfumées mais il a préféré y mélanger des chardons pour qu'on sente le poids de sa justice. Quant à la misère, elle est une grâce divine.

C'en est trop. Le chef du gouvernement municipal s'emporte pendant que ses moustaches filent dans tous les sens :

— Alors pourquoi le clergé de Strasbourg devient-il si riche ? Si c'était un bienfait d'être autant dans l'opulence Jésus n'aurait pas choisi de vivre pauvrement.

— Les jugements de Dieu suivent des voies cachées.

Ce mec à croix incrustée de diamants sur le plastron ferait sans doute un bon joueur de mirliton.

« L'Église locale est malade des pieds à la tête... », regrette le maire qui ajoute concernant les prélats à fort accent alsacien : « Mieux vaudrait ne pas en avoir du tout que d'en avoir de pareils ! Plus ils sont élevés en dignité plus ils font du mal à la manière des grands sapins qui frappent de stérilité tous les terrains alentour. Les dignitaires catholiques de Strasbourg ne font preuve d'aucune utilité humaine. » Dorénavant, il n'hésite pas à dénoncer les accapareurs en soutane qui entassent les céréales, pois, lentilles, choux fermentés, cochonnailles, salaisons, pour de juteux trafics :

— Tous les chanoines monopolisateurs mériteraient qu'on les batte, qu'on les prenne au collet et leur secoue les puces, qu'on épluche leur peau pour y chercher des tiques. Vous entassez dans vos monastères les céréales raflées sans craindre un seul instant le déshonneur, tout ça même si le pauvre ne peut rien trouver et qu'il crève de faim avec femme et enfants. C'est pourquoi aujourd'hui on voit tellement monter les prix. Tout est beaucoup trop cher ! Vous ne prêtez jamais que de la petite monnaie en reportant dans vos livres de comptes des chiffres arrondis. Vous saluez avec joie la grêle, la gelée, et la sécheresse en vous frottant les mains. La pléthore du clergé m'écœure ! Je suis dégoûté de le voir se repaître des brebis qu'il est censé protéger.

— Les pauvres ne nous remboursent pas alors Dieu a perdu patience. Dans la Bible on peut lire...

— La Bible... Pour la qualité, il y a à redire car l'ouvrage est bâclé. Il est fait à la diable. Quand je passe en revue les grands scandales dus au prince-évêque que vous êtes, nul ne s'étonnera que mes yeux s'emplissent de larmes d'amertume à observer chez nous la foi catholique se vautrer dans la honte.

Ça bastonne dans la mairie comme ça arrivera plus tard à OK Corral. Honstein tire à vue :

— Le Seigneur en colère a déclaré : «Si vous n'observez pas mes saints commandements je vous affligerai par la mort et les plaies, l'attaque des Turcs et la famine, la peste avec la canicule et la cherté de vie. Je ne veux écouter vos lamentations. Je resterai de fer. Je suis si ennemi de qui se rit du péché que je le détruirai car c'est moi qui suis Dieu ! » affirme-t-il en frappant sa poitrine pour se désigner lui-même alors que Drachenfels déplore :

— Déjà, l'Église cultive trop ses privilèges en ne payant ni taxes ni impôts utiles à servir une cité dont elle profite et abuse. Je devrais vous condamner à...

— Les membres du clergé ne sont pas justiciables devant les tribunaux laïques ! Ici, à Strasbourg, c'est avec moi que le Seigneur met toute chose au point.

— À la mairie, c'est par moi que s'impose de juger qui peut assister au grand conseil !

L'*Ammeister*, décrétant soudainement l'exclusion du prince-évêque par rapport à la décision qu'il lui faudra prendre, enchaîne du latin puis du dialecte alsacien :

— *Cujus regio, ejus religio* (Tel prince, telle religion), *Redde m'r nimm devùn !* (N'en parlons plus !) L'évêque, je vous jette dehors, là où sont les pleurs, les grincements de dents, et les pas des danseurs ! Et cachez vos oreilles pour qu'on ne pense pas, en vous voyant de loin, à l'âne du moulin !

— Mais !... Je suis un prince que vous avez invité.

— Disons que je l'avais oublié mais ça me revient. Pas de nobles dans cette mairie qui est aux mains exclusives des bourgeois. Sortez !

7.

— Entre ! Entre et danse, Jérôme, puisqu'on n'a plus rien !

Attale Gebviller, en robe douteuse remontée aux hanches, chevauche son mari tonnelier. Elle l'a étendu à plat dos sur deux rangées de tonneaux verticaux recouverts d'une paillasse crevée d'où s'échappent à chaque coup de reins des nuages de poussière de froment datant de tant d'années, en tout cas bien avant qu'une petite, chez eux, soit née et qu'ils l'aient ensuite consommée.

Ils auraient mieux fait de bouffer la garniture de leur litière mais là c'est trop tard. Elle fuit par jets gris volcaniques qui les font tellement tousser, ouh, là, là !...

Ouh, là, là, contre le mur du fond de l'unique pièce sombre leur servant de logis et d'atelier aussi (mais ça c'était avant...), Attale s'enfile Jérôme parce qu'il ne leur reste plus que ça à faire :

— Allons, et que ça rentre ! Tiens bien ton arbalète et ne t'énerve pas.

Leur enfant était née dans la classe du peuple et, malgré le triste avenir qui lui était destiné, sa naissance avait été accueillie comme un joyeux événement (un régal ?). Sa tête est toujours là, sur le rebord de la cheminée. Elle pourrit, se déforme se ride, ressemble de plus en plus à celle de sa mère qui s'astique sur le père, lui chuchotant à l'oreille :

— Notre petite, respires-en contre ma peau l'odorant souvenir.

Attale, individu vulnérable sur le plan psychologique mais bassin mobile comme l'eau, ajoute :

— J'ai soif d'un frais oubli, de quelque chose qui pardonne.

Elle parle, elle parle, mais baise aussi sur son danseur qui trépide du cul comme si elle l'y avait laissé dans la rue. Lui, devenu muet et complètement barré, se contente de taper du coccyx contre ses tonneaux qui font « boum, boum, boum ».

Tout comme les médecins, ayant constaté, chez son mari, la proéminence du bas-ventre qui caractérise ceux menant maintenant le branle jusqu'à la rue des Arcades, elle s'est dit : « Autant que cette manie dansante soit utile et qu'à tous malheurs quelque chose soit bon. » Un peu à l'ouest (mais qui ne le serait pas après avoir becqueté sa gosse ?), elle folâtre sans gaieté mais vraie chatte en chaleur. C'est comme une pensée triste qui se danse en un mouvement particulier d'oscillation. Les seins pendants, cette trop maigre se tord, n'entend plus son enfant crier ni les cloches qui tintent dehors. Et pour payer l'irréparable, elle offre l'amour seul et martyr. Chez les Gebviller, les mains dans les mains, ça refait de l'espoir aux incertains lendemains. À travers les petits carreaux colorés de la fenêtre donnant sur la rue du Jeu-des-Enfants, un rayon de soleil percute leur sombre détresse : « Dieu vous pardonne ! » tandis qu'Attale fait claquer sa peau ainsi qu'une bannière, se moquant bien de Dieu et même de l'Enfer. Langoureux vertige, on dirait son regard couvert d'une vapeur et son cœur, plein de choses funèbres, bat parmi les poux, démangeaisons, furoncles infectés. Sagesse tout avalée, elle cherche le réconfort, se livrant au stupre, en bonds et sauts bien hauts, en pivotant sur soi. Lui se débat sous elle en forcené, se tord comme un ver sans répit jusqu'à perdre haleine. Avec leurs flancs mouvants, quelle débauche d'inconduite, quelle déchéance de gens désespérés. Ils jettent leur âme dans une fièvre bouleversante qui leur procure un moment d'oubli comme une moisissure de seigle. Danser ainsi à deux donne l'impression de participer à un tout. Ils se sentent soudain moins seuls avec leur honte personnelle. Dans le silence, alors que des mouches sortent de la bouche entrouverte de sa petite, Attale, à l'édifice mental fissuré par l'angoisse, tourne les yeux vers son mari :

— C'est toi, le soleil. Luis clair sur moi !

Ils ont perdu toute pudeur. On devrait les parquer, les mettre à l'écart de la ville comme on fait pour les lépreux. Détresse émotionnelle sévère livrée aux vagues déchaînées de leurs corps, ils souffrent ensemble le pire qu'on puisse souffrir :

— Oh, ne me dis jamais qu'il nous faudra en guérir !

Pitié, compassion, c'est un spectacle consternant et puis ça craque ! Le tonnelier se met brutalement à hurler en frappant ses tonneaux. Attale se mord les lèvres puis s'abat sur le cœur de son mari de même que la neige rencontrée apporte la fraîcheur. Jérôme, lui, tombe aussitôt dans le sommeil comme si un gouffre l'eut avalé. Leurs deux corps étendus, immobiles, semblent attendre un linceul, une croix, un remords.

En face et de l'autre côté de la rue toujours aussi bruyante, chez les Troffea, Enneline dort encore. À l'étage, elle est étendue à même un lit près duquel son mari, assis sur un grand coffre, la contemple. Ça fait trois jours qu'elle dort (mais bon, quand tu n'as cessé de danser toute une semaine, même la nuit...). Melchior, à l'aide du gobelet de baptême de leur enfant, fait couler quelques gouttes d'eau croupie, récupérée dans la rivière, entre les lèvres de la mère blonde que tout en lui chérit et admire. Ce jeune père échevelé dépose le petit récipient au sol puis couvre à nouveau sa femme d'un long regard triste.

Au col de la robe grise d'Enneline, il défait quelques agrafes puis remonte pudiquement le bas du vêtement en crin rêche jusqu'à mi-cuisses pour qu'elle n'ait pas trop chaud. C'est ainsi qu'il découvre les dégâts de l'excès de danse causés à ces jambes autrefois si finement dessinées. Muscles tétanisés par tant d'efforts surhumains, les genoux qui ressemblent aujourd'hui à des cailloux ont grossi. Les mollets gonflés, paraissant être en pierre, rejoignent des chevilles énormes et délabrées, reliées à des pieds en sang.

Se servant d'une éponge habituellement destinée à ôter l'encre de ses planches gravées, il tente, là, de laver encore très délicatement, sous les talons, des croûtes de plaies qui s'ouvrent à nouveau, laissant dégouliner comme une encre rouge. Melchior, artiste en toutes circonstances et jusqu'au bout des ongles, récupère à l'extrémité d'un index un peu de ce sang pour peindre le long d'une jambe nue d'Enneline un paysage calme de bord du Rhin. Il y représente des saules pleureurs aux branches frôlant le cours du fleuve paisible. On voit aussi de jolis nuages devant lesquels planent des oiseaux au-dessus d'embarcations tranquilles. Voulant imiter la fluidité du courant, il plonge un doigt dans le gobelet (de son petit qui a fini d'y boire...) pour en retirer un peu d'eau qu'il mélange à l'hémoglobine afin de donner à son œuvre l'aspect délavé qui lui sied. Ce paysage est beau comme un familial jour heureux mais, soudain, le voilà qui se met à trembler. Les troncs des saules vibrent et agitent leurs branches dans des vagues de sang du Rhin qui se hissent. Tout bouge en ce séisme d'abord de faible amplitude puis bientôt niveau douze sur l'échelle de Richter car Enneline se lève. Hagarde et hémoglobine ruisselant le long d'un tibia sur lequel glisse le bas de sa robe, elle se garde bien de desserrer les dents. Cette blonde à l'espérance noyée parvient devant son mari ahuri à rejoindre maladroitement l'escalier qu'elle redescend. Au rez-de-chaussée, passé la presse de graveur, elle ouvre la porte. Venant du dehors, on perçoit des « *Sfwiii !... fwiit !* » et des « *Tiap ! Tiap !* » comme du temps où arrivaient en ville des troupeaux que les bouchers, sifflant à la manière des bergers, guidaient vers l'abattoir. Pendant que de l'autre côté de la rue le tonnelier en écrase drôlement et pour longtemps, devant Melchior qui lui emboîte le pas, Enneline retourne dans la danse.

8.

— *Tiap ! Tiap !...*

Alors qu'à une extrémité de la voie des membres de la corporation des bouchers, réquisitionnés par la mairie et munis d'un fouet, font avancer la foule de danseurs en lâchant le cri répété de leur langage substitutif ou bien sifflant : «*Sfwiii ! Fwiit !*», des enfants de huit ou neuf ans courent sur les côtés du troupeau de gens désespérés en aboyant puisqu'il n'y a plus de chiens en ville, tous ont été mangés. Un cri convenu pour dire «À droite !», un sifflement spécial pour ordonner de resserrer les rangs à gauche, des gamins bien dressés, et pour le salaire municipal d'un malheureux batzen, poussent le zèle jusqu'à mordre les jarrets des récalcitrants. Un gosse, incisives en avant, va pour s'attaquer au mollet joliment peint d'Enneline retenue par son mari sous leur enseigne. Melchior lance au môme un grand coup de soulier dans sa gueule – «Couché ! Couché, toi !» – comme il ferait à un affreux clébard. Pendant que celui-ci gémit à quatre pattes en faisant des bonds d'animal meurtri, le graveur demande à sa femme : «Mais pourquoi ?

47

Pourquoi, chérie, veux-tu y retourner ?» Se dégageant des mains de l'époux, elle ne répond pas. Quand bien même il la pilerait comme poivre au mortier, elle resterait muette alors il la supplie :

— Moi, inutile à la terre sans ta présence, si une voix est restée en toi, Enneline, que je l'entende encore !

Mais voyez, elle s'échappe comme une feuille qui roule et tourbillonne au vent. Devant l'imagier baissant les bras, son vocabulaire à elle est celui du corps, son papier, la rue. Emportée par le tam-tam des sabots qui l'appelle, elle quitte le père de son enfant en tournant vers lui des yeux lyriques.

Les bouchers, dans la toile bleu foncé de leur ample blouse, font progresser le troupeau papillonnant des affamés. Presque arrivés au milieu de la rue que ces professionnels de la viande ont déjà réussi à dégager pour moitié, l'un d'eux se plaint à un autre comme quoi l'affaire n'est pas si aisée.

— Que veux-tu, répond l'autre, un cheval docile devient rétif quand on supprime son foin.

Les voyant passer devant lui, Melchior les entend poursuivre :

— Il paraît que leur maladie naturelle est due à un sang trop chaud, un dérèglement des fluides internes : flegme, biles jaune et noire en excès ou bien altérées. Notre représentant au grand conseil m'a raconté que les docteurs avaient dit ça après que l'évêque eut été exclu de la décision gouvernementale. *Fwiii !... Fwiit !* Regarde celui-là qui s'en va danser je ne sais où... et celui-ci à droite. *Tiap ! Tiap !* Les biles, se décomposant dans le sang et l'échauffant, provoqueraient ce comportement bizarre.

Celui des deux qui en apprend de belles fait claquer la longue lanière de son fouet très au-dessus de têtes de traînards tout en s'interrogeant :

— Et donc les médecins ont préconisé davantage de farandoles pour les soigner ?

— Oui, car danser encore plus chassera les humeurs avec la sueur. Seule une transpiration abondante expulsera les biles coagulées dans les corps. L'*Ammeister* a opté pour soigner le mal par le mal. Il a aussi décidé qu'un espace derrière la cathédrale soit réservé aux danseurs. C'est là que nous les conduisons.

— Place du marché aux chevaux, ânes et mules ? Ah, d'accord...

À travers Strasbourg, Venise alsacienne puant à cause de tous ses ruisseaux devenus des cloaques, des rivières humaines se rejoignent pour former un large fleuve de danseuses et danseurs qui se tiennent par la main en effectuant des figures variées : serpentins, spirales. Oh, cette chenille dans la ville !... Enneline, qui a provoqué la vaste crise, redonne le rythme en frappant des mains et de ses pieds ensanglantés alors que, sur les côtés, déboulent les curés.

— Gloire au vrai Dieu, gloire au Saint-Esprit ! Partez, esprits damnés et condamnés !...

Plus très loin de la cathédrale, le cortège est arrivé dans une rue bordée de maisons de chanoines si faramineuses que même des rois ne dédaigneraient pas d'y habiter. À l'étage de ces riches demeures, des latrines suspendues éclaboussent en bas les pauvres âmes aux nerfs rompus qui progressent, un pas sauté sur le pied droit en levant la jambe gauche puis l'inverse. Rien ne les arrête même l'élixir, fabrication maison, que les représentants de Dieu leur vident sur la tronche avant que de sortir eux aussi dans la rue, bras chargés de minuscules crucifix en pierre noire qu'ils tentent de brader :

— Qui veut acquérir une petite croix sculptée dans la pierre de tonnerre tombée près de Strasbourg ?

Ils proposent également des indulgences comme si le ciel était en période de soldes :

— Trois kreutzers pour une année de moins de purgatoire après votre mort ! Trois kreutzers seulement ! Pour cent florins, quels qu'aient été vos péchés, c'est le Paradis direct ! Qui n'achète rien va en chier au moment du Jugement dernier !

Des soutanes mercantiles, il en vient à présent de partout, pareilles à des brebis sorties d'un clos. Une puis deux, puis trois, puis combien encore ? S'adressant à de miséreux cœurs mal tombés, à des visages amaigris aux yeux enfoncés dans leurs orbites, en cette période de dérèglement et de déraison, ça cherche à fourguer tout en justifiant :

— Le pape Léon X garantit un pardon du Seigneur à ceux qui participeront financièrement à la reconstruction de Saint-Pierre de Rome !

Ils promettent ça, ces ecclésiastiques tous barons, comtes, ducs, etc. (seize quartiers de noblesse sont nécessaires pour devenir chanoine à la fonction particulièrement bien rémunérée). Écoutez ce clerc nourri d'oisiveté, ne travaillant jamais mais vivant dans l'aisance, qui menace des danseurs ne pouvant imaginer comment ils pourraient s'offrir une seule journée en moins de purgatoire :

— Sans règlement d'indulgence vous serez enterrés hors des remparts de la ville, au *Henckerhuewel* (la colline du bourreau), dans une terre non bénite et donc votre résurrection sera impossible !

Le dieu des prélats strasbourgeois est un dur créancier qui, le jour venu, évaluera péchés et impôt destiné à l'élévation d'une basilique que les habitants d'ici ne verront jamais.

— Toute dérogation d'Enfer se paie comptant. Le Paradis s'achète quand on y met le prix !

Voilà ce que clament moines, béguines, frères convers, tous loups insatiables déguisés en bergers. Quant à leur honnêteté, elle est à la ferraille, on en voit rarement éclore les bourgeons. Avec sadisme, ils se promènent parmi les tortures des corps dansants ainsi qu'en un jardin délicieux. Melchior Troffea, ayant retrouvé dans la foule agitée le sillon d'Enneline, s'indigne de ce qu'il entend et le clame aux prêtres :

— Quelle grande folie de jeter tant d'argent pour construire un palais au pape !

Il ose jurer en public qu'il a pris Dieu en grippe.

— C'est être avisé que d'écouter le clergé vous montrer le chemin, lui réplique un tonsuré ulcéré.

— Drachenfels a dit que...

— Les *Ammeister* un an, Dieu toujours !

Malgré le risque réel de se retrouver coupable de blasphème et que le verdict du tribunal ecclésiastique ordonne qu'on lui coupe la langue avant sa décapitation sauf s'il paie, auquel cas on lui tranchera d'abord la tête avant la langue, le xylographe de la rue du Jeude-des-Enfants ne se démonte pas :

— Pour s'occuper des âmes on trouve dans la prêtaille tant de singes auxquels on n'oserait confier sa propre vache !... Voyez ces bons à rien ! Le diable n'a de cesse de pisser des curés ! Je dis en vérité que ni juifs, ni païens, ni Gitans ou Tatares n'ont autant d'infamies dans leurs pratiques !

— Même les Turcs ? demande un spectateur devenu tout pâle.

— Quels Turcs ? s'étonne Melchior.

— Les Turcs qui vont arriver... On dit qu'ils formeront autour de nos remparts une armée innombrable comme les grains de sable au bord des océans...

Quelqu'un d'autre surenchérit :

— Il paraît qu'ils vont nous bombarder à coups de barriques de purin !

— Ah bon ? n'en revient pas Melchior ignorant la nouvelle rumeur qui se répand dans Strasbourg. Mais pourquoi nous attaqueraient-ils ?

— Ah ça, c'est les Turcs ! Le Turc attaque... Ça doit venir du poivre de leur pays. Ça leur pique le cul et alors ils...

En voici encore un qui précise :

— On raconte que leur mets favori c'est la viande de danseurs. Les Turcs se saoulent de sang qu'ils boivent pour du vin !

En bottes molles à revers, rattachées à la culotte, manches longues, plissées, fermées aux poignets par des agrafes, des notables et puis des orfèvres à pantalon fantasque, bustier serré, veste courte, des plutôt riches, quoi, se mettent à perdre le contrôle de leur corps. Les voilà qui bougent, dansent à cause des Turcs. La nouvelle précipite la maladie même chez les sourds :

— Que se passe-t-il ? Je n'entends pas.

— Les Turcs vont nous attaquer !

— Les ?...

Celui qui a répondu au sourdingue, maintenant comme en langage des signes, imite de très longues moustaches effilées, des yeux fort sourcilleux et cruels, d'extravagantes tenues bariolées de guerriers de l'Apocalypse, des lames d'armes blanches aux formes vicelardes. Le pasentendant est stupéfait :

— Les Turcs ?! Oh, nom de Dieu !...

Et voilà que le dur de la feuille se met lui aussi à danser devant les bouchers totalement débordés car, sur les côtés du troupeau humain, de nouveaux danseurs poussent comme la mauvaise herbe. Cherchant à balbutier des mots sans pouvoir les produire, ils sont treize à la douzaine qui s'immiscent dans le bal nomade. L'écho de leurs talons ne s'évapore pas dans l'air. Ce sont des égarements en tous lieux. Strasbourg plonge un peu plus dans le marasme. Beaucoup font quantité de tours sur eux-mêmes, d'autres n'ondulent que des hanches mais fondent en larmes, tendant leurs bras pour s'intégrer aux rondes. Alors que le cortège virevolte dorénavant sous les statues de la cathédrale afin de la contourner, la Vierge en grès rose, repérant Enneline – mère qui a confondu son nourrisson avec un gardon –, s'évanouit dans les bras de saint Jean. C'est un état délirant. Plus rien n'a de sens ! Les voici tous arrivant au marché aux chevaux, même ceux qui n'ont jamais monté un canasson. Sur ce site totalement dégagé, d'ordinaire un des plus profitables de la ville, des membres de la corporation des menuisiers finissent de clouer les planches d'une immense estrade élevée à un mètre du sol pour en faire un dancefloor géant dont l'accès est interdit à tous ceux qui ne dansent pas et notamment aux curés.

— Ordre de Drachenfels !... s'écrie un capitaine – Johannes Gensfleisch (Jean Viande d'oie). Les danseurs devront évoluer dans un air exempt de bouffées d'encens. Défense également d'y prononcer des prières spéciales relevant de superstitions absurdes !

Cela fâche les moines qui n'ont pas fait un rond avec leurs croix taillées dans la météorite ni avec les indulgences. Ils jettent des pierres sur les malades en criant des malédictions. Melchior aussi se trouve refoulé :

— Vous n'êtes aucunement un danseur. N'allez pas vous faire contaminer !

Des valets de la ville en tenue d'apparat rouge et blanc tendent des chaînes en travers des rues donnant sur la place du marché après avoir laissé passer les farandoleurs mais aussi des joueurs de viole, fifre, etc., pour accompagner et encourager jusqu'à la guérison les frétilleurs de popotin qui grimpent sur l'estrade alors que des soldats, tenant leur hallebarde, longue pique, arquebuse, s'étonnent de la présence des musiciens.

— Après avoir tout passé en revue, leur explique Jean Viande d'oie, pesé chaque chose, rejeté les mauvaises, l'*Ammeister* a retenu ce qui lui a paru bon. De la musique pour les possédés puisque selon les médecins la mélodie restaure l'harmonie des corps ! Et puis aussi de robustes gaillards pour les soutenir, les empêcher de tomber, se blesser... Ah, vous voilà les membres de la corporation des bateliers ! J'espère que vous n'avez pas le mal de mer parce que ça va tanguer ! Là-bas, ce ne sont pas ceux des métiers de bouche avec leurs marmites qui arrivent ? Allez, on y va, application immédiate des directives municipales !

Pendant qu'aussi des dizaines de timbaliers, flû-tistes, sonneurs de cor, engagés par la ville pour se relayer ici jour et nuit, s'installent autour de l'estrade, un autre musicien, avec en sautoir une boîte emplie de graisse d'âne, se met à pommader son biniou. Quant aux danseurs, muscles tremblants et dégoulinants de sueur en cet été torride, les chocs ininterrompus de leurs sabots ou souliers en cuir, plantes de pieds nus sur les lattes du plancher, font s'élever une poussière qui assèche encore davantage les gorges...

9.

— Donnez-leur à boire !... de cette eau venue des canaux même si on ne peut pas dire qu'elle soit délicieuse et puis aussi de la bière puisque le brasseur *Ammeister* offre ses derniers fûts personnels ! Glissez-leur l'une ou l'autre dans le gosier avec les gourdes qui sont là ! Allez, au pas, une, deux... on les réhydrate et les nourrit aussi ! Vous, les cuisiniers, soulevez le couvercle de vos marmites de haricots et filez les gaver ! Ça coûtera ce que ça coûtera à la municipalité mais il ne faut pas qu'ils crèvent de faim ! Ordonnance médicale !

Après les commandements de Viande d'oie en armure, à l'intérieur de laquelle sa chair doit cuire comme dans une boîte de conserve plongée au bain-marie tellement il fait chaud, les bateliers en nage grimpent sur la très vaste estrade afin de soutenir les plus chancelants, les totalement épuisés.

— Ils ne doivent jamais cesser de se démener en musique. C'est le remède ! bouillonne le capitaine. Même les plus fatigués.

Il y en a tant à soutenir que des portefaix de Strasbourg, épargnés par l'épidémie, ont été également réquisitionnés. Ce sont eux qui, pressant la peau de chèvre des gourdes, projettent des filets d'eau ou de bière entre les dents des agités au visage extatique qui se déhanchent lors d'entrechats médiévaux. Ils biberonnent chacune et chacun, suivis par les gens des métiers de bouche qui tentent de glisser dans celle des danseurs des cuillerées de haricots secs mijotés dans un insipide brouet. Ce n'est pas facile à faire. Allez-y, vous, si vous êtes si malin ! Tentez de nourrir quelqu'un tournoyant comme une toupie dans une ronde solaire (*d'r Seebàcher Kaarwetànz*) sur fond accéléré de flûtes et tambours... et vous verrez ! Les fayots volent partout. Malgré une soif à sucer des cailloux et une faim atroce, les danseurs aux bras remuant dans tous les sens seraient bien incapables de porter quoi que ce soit à leurs lèvres. Il est nécessaire qu'une main étrangère les aide mais bonne chance à elle ! Les haricots secs fendent l'air au-dessus des têtes comme des tirs de balles quand ils n'atterrissent pas dans les oreilles ou les yeux. Trop peu arrivent à destination, au grand désarroi du capitaine :

— Évitez de gâcher ! La ville a dû acheter ces pois au clergé à prix pas donné !

Pour s'y retrouver et essayer de n'oublier personne en cette foule virevoltante, ni risquer de sustenter inutilement plusieurs fois les mêmes, après qu'un danseur a été abreuvé, celui qui est parvenu à le nourrir plonge ensuite un pouce dans un petit sac empli de suie pour tacher d'une horizontale barre noire le front du rassasié. De figure émaciée en figure décharnée non encore marquées d'un résidu de cheminée, nombre de ventres finissent par s'emplir à la stupéfaction de mendiants s'approchant des chaînes et des soldats :

— Mais que se passe-t-il là-bas ? On goinfre les danseurs ? C'est la mairie qui régale ?

Alors ils se mettent aussitôt à tortiller des épaules et des genoux, feignant la contamination.

— Mais que m'arrive-t-il soudain à moi ? Je danse ! Je danse ! Au secours, je ne peux plus m'arrêter de danser !

— Moi, c'est pareil ! Oh, là, là, quelle maladie !...

Johannes Gensfleisch, dupé, regrette :

— J'aurais sans doute dû commander de tendre les chaînes encore plus en arrière mais je n'avais pas imaginé que la contagion puisse opérer aussi loin... Gardes, laissez passer ces nouveaux contaminés !

Ils sont tout un paquet de fraudeurs à venir grimper sur l'estrade pour profiter de la générosité municipale. Tout comme les autres, ils ondulent beaucoup des hanches mais eux c'est pour bousculer et passer devant les vrais malades afin qu'on leur serve au plus vite à boire non pas de cette gourde d'eau croupie, font-ils signe d'un doigt, mais de celle contenant la bière. Ah, ils n'en gaspillent pas une goutte et ouvrent docilement grand la bouche lorsque arrivent les cuillerées de haricots. Sitôt qu'ils ont été marqués au front d'une trace de suie, ils l'effacent d'un revers de manche et se présentent à nouveau devant les nourrisseurs. Après plusieurs tournées de bière et de frichti, ils feignent encore un peu de danser mais assez rapidement en ont marre et descendent alors de l'estrade pour venir réenjamber la chaîne devant le capitaine surpris :

— Vous êtes déjà guéris ?

— Oui, oui, il y a un mieux ! Mais nous reviendrons peut-être demain, disons vers midi, si la folie de la danse nous reprenait... On ne sait pas, hein ! Ce seront encore des pois qui seront servis ou bien il a été prévu autre chose ?...

— Ne les écoutez pas, capitaine, car ils trichent ! cafte un soldat zélé. Celui-là, celui-là, et tous ceux qui sont ici, je les ai vus s'essuyer le front pour être ravitaillés à plusieurs reprises !

— Quoi, quoi ?! cacarde aussitôt Jean Viande d'oie. Mais c'est une honte ! Je devrais vous faire subir le *Jungfernkuss*, le baiser de la Vierge !...

— Le quoi ? s'inquiète l'un des mendigots éclopé et chapardeur.

Alors qu'un des médecins venus consulter le comportement des danseurs s'approche de cette engueulade, le chef militaire explique aux malhonnêtes galvaudeux :

— À l'arsenal de la ville, pour les crimes de haute trahison tels que les vôtres, nous disposons d'un sacré instrument de torture. C'est un sarcophage debout et creux, en jolie forme de silhouette féminine et au visage de Madone. À l'intérieur de ce mannequin on fait entrer le condamné. Lorsqu'on le referme, un mécanisme se déclenche en libérant quantité de pics acérés qui transpercent la victime dont le sang, au pied de la Vierge, s'écoule ensuite sur le carrelage comme sorti d'un presse-agrumes !

Imaginant l'épreuve dont on les menace, les mendiants un peu voleurs claquent immédiatement des dents et basculent sur place en un délire de danse fantastique tellement dangereuse pour eux que plusieurs soldats ont du mal à les contenir, au grand étonnement du capitaine qui demande au médecin :

— Ils font encore les cons, là ?

— Ah non, maintenant je crois qu'ils sont vraiment atteints ! Quand ils ont les yeux révulsés comme ça... Mais aussi vous y êtes allé un peu fort, capitaine, en cette période où tant de Strasbourgeois sont si fragiles dans leur tête.

— Ah, la vache ! criaille Gensfleisch. Gardes, refaites-les franchir la chaîne vers l'estrade ! Mais quel problème !

Autre problème auquel les médecins n'avaient pas pensé, c'est que la nourriture c'est bien beau mais quand ça entre d'un côté il faut que ça sorte de l'autre ! Tous les danseurs alimentés se mettent dorénavant à chier sous eux et c'est vraiment dégueulasse. La chiasse choit en bouse de sous les robes des dames et les fonds de culottes masculines se teintent pendant qu'on allume des flambeaux tout autour de la place du marché aux chevaux car la nuit tombe également.

« On ne va quand même pas devoir aussi les torcher ! » espèrent les bateliers dont les semelles dérapent sur les diarrhées. Parmi aussi des projections de gaz (les haricots...) ils manquent souvent de se casser la gueule – « Ça gîte comme par gros temps ! »

Là-haut, les gargouilles accrochées à l'arrière de la cathédrale paraissent baisser la tête pour observer ce peuple qui, sur l'estrade, se vide, saute, trépide, en proie à une détresse absolue. À grand renfort de violes et de fifres, rien ne pourrait les arrêter. Le feu, qui pour brûler a besoin de fagots, jamais ne vous dira : « Ça suffit ! C'est assez ! » Sous les étoiles, dans Strasbourg hébétée d'une folie générale comme si la

10.

— Manger... Manger...

Attale Gebviller sort, chancelante, dans la nuit et en un décor de famine et de maladies. Accrochée à une tringle rouillée, l'enseigne du graveur d'en face grince sous l'effet d'une brise légère. L'épouse du tonnelier a des allures squelettiques de chienne famélique qui retourne au vomi.

— Manger... Manger...

Il n'y a plus rien pour s'alimenter chez elle et son mari. Ils ont fini leur fille. La cannibale entend les flonflons continuels du grand bal derrière la cathédrale en haut de laquelle les gargouilles l'épient. Si Jérôme, continuant de dormir, avait encore pu danser dehors, lui au moins aurait eu droit à des haricots mais elle, épargnée par l'épidémie dansante, serait de toute façon restée le ventre vide... C'est à en devenir folle. *Armer Teifel*, pauvre hère maintenant bien givrée, Attale se retient contre des murs de maisons à colombages en traînant les semelles sans talon de ses savates éculées alors que la ville entière résonne au rythme des tambours.

Telle aussi une chatte qui, la nuit, irait volontiers à la chasse aux souris s'il y en avait encore en ville, l'Alsacienne rampe presque d'hôpital en hôpital dont elle contourne les façades. Après celui réservé aux épileptiques puis le *Blatterhaus* attribué aux syphilitiques c'est au tour de l'hôpital des ardents, l'hôpital des Pauvres Passants (pour les voyageurs n'habitant pas la ville), le bâtiment des pestiférés et la réserve intra-muros des lépreux. Tout en miaulant : «Quelque chose à se mettre dans la bouche...», au pied de ces établissements publics destinés aux malades, elle recueille leurs matières fécales, jetées par les fenêtres, qu'elle porte à ses lèvres. Elle ferait mieux d'aller lécher l'estrade de la place du marché aux chevaux ! Les mains emplies de déjections rongées par une pourriture brune où des puces de rats, diffusant la peste noire, sautent, Attale, comme avec un trésor, une offrande pour nourrir son mari, retourne lentement aussi vers la tête putréfiée de leur fille tout en fredonnant :

> *Schlof, Kindele, schlof !...*
> Dors, petite enfant, dors !
> Papa garde le troupeau,
> Maman secoue le petit arbre,
> Et un rêve en tombera,
> Dors, petite enfant, dors !...

11.

Presque à la mi-août, place du marché aux chevaux, ânes et mules, l'épidémie dansante ne présente aucun signe de reflux et même elle empire. Resté depuis plus d'une semaine derrière la chaîne empêchant l'accès à la rave party, le jeune chevelu et barbu Melchior Troffea aux allures de haridelle en son léger gilet rouge, comportant deux rangées de dix boutons d'acier, racle à genoux avec sa manche droite la paroi intérieure d'une marmite vidée et abandonnée contre un mur. Puis il se relève difficilement, pris d'inanition et d'étourdissements près de la foule de spectateurs. Mâchant maintenant très longuement à son avant-bras le tissu qui l'entoure, imprégné de sucs avec des débris de peau de haricots, il ne quitte pas des yeux, tout là-bas, Enneline qu'un batelier soutient, relève lorsque les jambes de la blonde fléchissent. À côté, un autre époux agit comme le graveur mais lui se mord le poignet au sang en découvrant, lors d'une sorte de valse des roses (*Rosewàlzer*) connue pour ses changements de partenaire, que sa femme aux hanches ondoyantes vient s'accoler contre un homme que, visiblement, le mari ne peut pas saquer. L'autophage fou de jalousie, en buvant son hémoglobine, geint :

— Et tu danses avec lui !... la tête sur son épaule...

Ça c'est pour les détails parce que, sinon, la panique est générale derrière la cathédrale. Les médecins de la ville regroupés et consternés assistent aux dégâts du remède pourtant suivi à la lettre qu'ils avaient prescrit. Pendant que les musiciens n'en peuvent plus de s'essouffler sur un fifre, un tambourin, de tousser dans un cornet en épuisant leur répertoire, de devoir, quand les danseurs mollissent, jouer avec davantage d'intensité pour les forcer à presser le pas, les victimes de la manie dansante tombent par dizaines en tas, raides morts sur l'estrade. Le spectacle se révèle terrifiant. C'est une vision cauchemardesque. Même les plus aisés, aux bas brillamment colorés et chemise en dentelle, décèdent de crises cardiaques. Ce carnaval vire à l'hécatombe. Il règne un sentiment de fin du monde. Beaucoup ont des visions, hurlent qu'ils flottent sur une mer de sang. Ils claquent en masse. Le clergé leur prédisant l'Enfer se marre alors que les médecins ne savent plus que faire. Le supposé pouvoir curateur de la musique a vraiment fait long feu. C'est la syncope finale. Parmi des mélodies, ça tombe partout comme des mouches. Les mourants continuent à se tortiller même étendus sur les planches. Des marchands suisses en transit dans la cité républicaine fortifiée, assistant à la scène de l'autre côté des chaînes, fuient la ville et emportent avec eux l'histoire des danseurs qu'ils raconteront partout en commençant par : « C'est l'histoire d'un peuple qui a perdu l'espoir ! » Le capitaine Gensfleisch n'en peut plus. En son armure chauffée à blanc dans le cagnard, il déroge à ses prérogatives

pour engueuler les docteurs qui ne la ramènent pourtant pas :

— Vous avez ordonné qu'ils n'aient plus droit au
repos. Eh bien voilà le résultat. Ah, les Turcs peuvent
rester chez eux. Strasbourg se débrouille très bien
toute seule pour faire crever ses habitants !

Et puis il en a marre de cette putain de musique,
jour et nuit, aux notes de plus en plus discordantes !
Le chef militaire se bouche les oreilles et voudrait les
remplir de cire ainsi que fit Ulysse. Soudain et tant pis
pour le règlement, il ôte son plastron de fer, ses bras-
sards métalliques, épaulières, canons d'avant-bras
qu'il jette autour de lui. Le capitaine excédé se décap-
sule, se décortique le haut du corps comme crabe en
mue. Torse nu, il bouillonne, ayant gardé ses cuissardes et genouillères d'acier, les solerets aux lames
articulées de ses poulaines aux pieds, tout en obser-
vant avec une horreur grandissante les expressions
démentes, marquées de traces de suie, des victimes du
sortilège qui continuent à se saisir par la main, à former des farandoles immenses, tournant, tournant à
mourir en bondissant par-dessus des cadavres en partie
déjà décomposés. Mais voilà qu'autre chose stupéfie
Johannes Gensfleisch. Ses soldats postés à intervalles
réguliers le long des chaînes se mettent à tanguer
des fesses sous leurs jupes de guerriers. Après tant et
tant d'heures au contact des danseurs, les gardes chargés de les surveiller balancent eux aussi des hanches
et se lancent dans des rondes avec leurs collègues
pendant que les mendiants s'infiltrent. Ça bascule
dans le grand n'importe quoi. Ah, si demain les Turcs
attaquaient, comme ils riraient en voyant l'armée

12.

Tout comme tant d'autres venus également rechercher les danseurs de leur famille pendant que des menuisiers démontent les planches de l'estrade de la place du marché aux chevaux en un silence retrouvé, Melchior porte Enneline pliée en deux sur une de ses épaules.

Échalas efflanqué, bien que sa femme soit devenue si légère, il peine à progresser vers la rue du Jeu-des-Enfants. Souvent il marque des temps d'arrêt afin de reprendre son souffle. À la muette dont la taille tremble contre son cou, le graveur dit, pivotant doucement un visage grêlé qu'il contemple en se voulant rassurant :

— Que j'avais dans tes angoisses respiré de présages... mais, chérie, il reste du ciel dans tes yeux.

Il ne veut pas l'inquiéter davantage, pourtant en lui-même il s'affole quand, regard baissé vers l'extrémité des jambes de sa danseuse, il constate la chair meurtrie des pieds aux nerfs, tendons, déchirés, cartilages en vrac et os à nu. Il sait aujourd'hui que plus jamais elle ne remarchera comme avant, celle qui avait une élégance altière, qu'elle demeurera handicapée de façon irréversible.

Pendant ce temps, à la mairie, l'*Ammeister* est en proie à une agitation proche de la panique, bien plus que si quelqu'un avait surgi pour lui annoncer les Turcs en train de toquer aux portes des remparts. Sa grosse tête entre les mains, celui que chaque nouvelle épouvante davantage depuis le début de son mandat se lamente :

— Ô fortune inconstante, de quoi m'accuses-tu ?

Désorienté par trop de responsabilités à devoir assumer pendant encore quatre mois et demi – «Bonne chance à mon successeur...» – les bouts de ses amples moustaches battent de haut en bas à la manière d'ailes comme s'il voulait déjà s'envoler – gros moineau – par la fenêtre ouverte de son bureau où il a pourtant réuni son petit conseil en session extraordinaire à huis clos. Planqué dans l'ombre, tel un enfant bougon qui aurait fait une bêtise, Andreas Drachenfels regrette sa décision prise en la salle du grand conseil. Après que l'un de ses quatre *Stettmeister* lui a annoncé que les médecins se sentent un peu moins sûrs de leur thérapie musicale et qu'il a ricané : «Sans blague...», il reconsidère le bien-fondé de sa propre politique :

— Je ne vois qu'une solution : interdiction de jouer de n'importe quel instrument où que ce soit dans Strasbourg.

— Mais lors de la messe ?... s'interroge le *Stettmeister*. Les grandes orgues pour les *alléluia, requiem*, tout ça ?

— Bon, alors sauf à la cathédrale où de toute façon la municipalité n'a pas de pouvoir décisionnaire concernant les rites qu'on y pratique !

— Et pour les trop passionnés de caroles, tresques, et rondes nomades, *Ammeister* ? demande un deuxième adjoint.

— Plus aucun danseur dans les rues, hop-là !... Qu'ils ne nous fassent plus chier dehors afin d'éviter la propagation de l'épidémie. Mis en quarantaine à demeure, les onduleurs de hanches ! Après tout, ce qu'ils désirent c'est danser et pas se balader en ville, or la danse a au moins l'avantage de ne pas vous forcer à toujours avancer alors qu'ils le fassent sur place chez eux !

Debout devant celui, assis, qui se trouve à la tête des institutions de la ville, les deux premiers adjoints à être déjà intervenus se regardent, semblant penser que Drachenfels change souvent d'avis, qu'à labourer avec lui on ne ferait que des zigzags. Mais, là, le chef du gouvernement strasbourgeois reste ferme sur sa position. D'ailleurs, moue à la bouche qu'il tord, ses longues moustaches se croisent en formant un X comme lorsque, de deux traits perpendiculaires, on rature quelque chose tenant d'un passé qu'il vaut mieux oublier.

Sous son minuscule galure ridicule et roi en la fournaise où il n'a plus une goutte de sa bière pour se désaltérer, un doute environne le brasseur *Ammeister* et la peur circule autour de lui, mais il ordonne quand même à son troisième adjoint, portant le grand sceau officiel et le titre de *secretarius* :

— Promulguez un arrêté interdisant formellement de danser à l'extérieur jusqu'au 29 septembre, date de la Saint-Michel. Ajoutez aussi : « sous peine d'amende de deux florins ». Ce n'est pas que je veux faire l'évêque mais ça fera toujours rentrer un peu de sous dans les caisses.

— *Ammeister*, la quasi-totalité des Strasbourgeois n'ont plus d'argent.

— Ah oui, c'est vrai. Alors menacez-les de prison où ils seront réduits au pain sec.

— Du pain sec ? Ils en rêvent ! Nous ne pourrons pas tous les encager. On manquera de place.

— En ce qui concerne la musique, change de sujet Drachenfels, même siffler le long des rues sera banni. Des détachements de cavalerie légère chargeront les musiciens.

— Nous n'avons plus de chevaux à l'intérieur de nos remparts, *Ammeister*. Nos cavaliers, n'ayant pas toucher leur solde depuis janvier, les ont mangés.

— Ah bon ?

Andreas Drachenfels se tient muré en un long silence, extrémités des moustaches avachies sous le menton. D'une pâle joue gonflée s'appuyant au creux d'une paume il soupire :

— Je me demande ce qui pourrait nous sauver et le sentiment de mon impuissance m'écrase. Tout va mal et le niveau risque encore de tomber.

— À ce propos, intervient le quatrième adjoint, nombre de Strasbourgeois aimeraient savoir comment ils l'apprendront lorsque se produira l'attaque ottomane.

— Ils s'en rendront bien compte.

— Oui, mais ils préféreraient être prévenus avant.

— Pour quoi faire ? De toute façon nous serons cuits. On n'arrête pas une invasion turque. Autant imaginer ouvrir les portes de la mer.

Drachenfels croit alors percevoir des bruits de vagues dessinant des ondulations telles celles de ses moustaches présentement à l'horizontale de chaque côté du visage. La nouvelle préoccupation évoquée l'endort en des clapotis mais ses quatre adjoints, ensemble, le secouent :

— Debout, *Ammeister*, réveillez-vous. Sortez de votre rêve car la cognée entame la racine. Comment préviendrons-nous les gens ? On avait pensé récupérer la *Schlaaglock*, l'ancienne cloche du poste de guet laissée à l'abandon au fond des douves parce qu'elle s'était fendue et sonnait faux. Nous la placerions sur la plateforme de la tour de la cathédrale et on la rebaptiserait la *Tüerkeglock*, la cloche des Turcs. De là-haut, où l'on voit très loin, un guetteur donnerait l'alerte.

— Encore faudrait-il que l'évêque y consente... doute le maire défaitiste devant ce dernier adjoint qui sait quoi rétorquer :

— Afin d'abuser un peu plus des deniers publics de Strasbourg pour s'enrichir davantage en ne dépensant rien, le prélat Guillaume de Honstein a suffisamment réclamé et fini par obtenir que tout ce qui concerne l'édifice de la cathédrale soit à la charge de la cité et dépende de l'*Ammeister* si bien que votre ordre, si vous le donnez, échappera totalement à l'autorité de l'évêque. Faites mettre en place la *Tüerkeglock*, même fêlée, et la population se trouvera rassurée au moins par ça. Alors, certes, elle a perdu son battant mais le guetteur, à l'aide d'un lourd marteau, saura la faire sonner.

— Ça lui cassera drôlement les oreilles, dites donc ! Pour cette tâche, il vaudrait mieux choisir un sourd mais pas un aveugle, hein ! Ça suffit, les conneries !

13.

Rue des immondices, un soldat menace du bonnet d'infamie un couseur de boutons sorti de son atelier en dansant malgré l'interdiction... Mais le contrevenant saisit le militaire par la taille et le fait tournoyer, enlacé à lui...

Sous le plafond aux poutres peinturlurées et entre les cloisons en pan de bois de son bureau, l'*Ammeister* écoute l'incident survenu qu'un *Stettmeister* lui relate.

— Et alors, demande Drachenfels, qu'a fait le soldat ?

— Depuis ils rebondissent ensemble comme des balles dans des culbutes inconcevables et on ne sait comment les arrêter. Les sanctions du capitaine, promises à tous deux, n'y font rien. On croirait qu'une virevoltante mouche en bourdonnant leur a demandé : « Venez-vous ? » Vous verriez l'attitude absente de tout leur être seulement entrecoupée de profonds soupirs qu'ils émettent, la tête renversée en arrière... Souvent, étroitement embrassés, on les dirait soudés

14.

La plupart des cimetières intra-muros étant maintenant complets pour cause, depuis plusieurs semaines,
de Strasbourgeois décédés d'un excès de danse en
grand nombre et par vagues, c'est, face à la mairie, de
l'autre côté de la place Saint-Martin que se dirige un
cortège d'éplorés reniflant derrière un cercueil. Dans
une traînée de couleurs et d'ombres imprécises, ils
suivent la progression d'une caisse en sapin portée par
quatre épaules d'hommes aux abords d'un puits sec.
Son onde est tarie... Hélas tout se tarit au monde ; la
vie et l'onde ont un destin pareil. Les pas des membres
de la famille, des amis, vont lents et pesants mais les
porteurs, de tailles différentes, font un peu ballotter le
corps dans la boîte. Passé un portail en fer forgé, à
l'écoute des chocs du défunt et le long d'une allée bordée de tombes, quelques endeuillés se mettent à taper
des pieds pour ponctuer le rythme de la dépouille du
regretté qui cogne contre les planches des parois.
D'aucuns entendent là comme le son d'un tambour et
ressentent un appel. Pris d'une folie musculaire, ils
commencent à balancer aussi leurs bras et l'enterrement

77

débouche sur une invitation à la danse. Sans doute que pour ne pas se laisser envahir par la peine, inhibitions vaincues, ils retrouvent l'évasion d'une extase, leurs pensées fuyant le chagrin du deuil. Un niveau de détresse élevé leur fait perdre contact avec la réalité.

De chaque côté d'un grand trou près de son monticule de terre, deux terrassiers, paume calleuse tenant un manche de pelle, s'ébahissent de voir s'approcher des entrechats et des chorées circulaires avec des mouvements du cou. Ils n'en reviennent pas de se trouver confrontés à cette scène étrange et choquante. Renversant déjà de la glaise par-dessus l'enterré qui de sa postérité n'aura plus de souci, l'un des deux ouvriers jette une pelletée et :

— Tout de même... une maladie contagieuse venue d'un cercueil !...

L'autre accompagne sa levée de motte d'un :

— Même mort, le danseur contamine ! Au moins, avec les pestiférés ou les lépreux, quand c'est fini on est débarrassé.

Moustache droite relevée et bouclée en point d'interrogation tandis que la gauche se dresse droite comme un point d'exclamation, en son bureau, Andreas Drachenfels conseille :

— Dans les cercueils il faut entourer de fourrage les corps pour qu'ils ne butent plus contre les façades et le couvercle.

— Vous savez où en trouver du fourrage, *Ammeister* ?

— Mais, mais, mais...

15.

Déambulant seul en son bureau clos, le chef du gouvernement de Strasbourg balade d'un mur à l'autre une bedaine rebondie. Il a aussi refermé la fenêtre donnant sur sa cité au bord de la crise de nerfs et prête à craquer ainsi que les coutures de ses propres habits qui le serrent. À l'intérieur du trop petit chapeau melon, le cerveau compressé de Drachenfels se trouve en état de confusion et plein de méfiance car tout va tellement de travers à la manière de ses lourds pas maladroits qui le conduisent, au petit malheur la malchance, d'une cloison à un tabouret sur lequel il ne s'assied pas. Ours neurasthénique dodelinant en cage, il tourne sans cesse au-dessus de gros genoux rhumatismaux qui grincent comme des gonds rouillés. Les poings crispés, il traverse une ombre puis, dans un impitoyable rayon de soleil, des larmes brillantes à ses yeux cernés battent l'infernal rappel de mauvaises nouvelles qui lui révulsent le cœur et brûlent la tête. Écume aux lèvres, il bafouille. Des images dansantes l'obsèdent et ne le font plus survivre que dans l'insomnie et l'angoisse. L'esprit aussi tourmenté que le corps, il ne sait quel sens donner à tout cela. Les âmes de sa ville fortifiée sont à ce point en péril qu'il halète et transpire à torrents, ses moustaches pareilles à deux serpillières pendues et dégoulinantes. D'un vague revers de main, il les essuie en levant les poches de ses yeux vers les poutres du plafond. Elles sont peintes de motifs végétaux déployés en frises aux enroulements successifs sur un fond bleu lapis-lazuli. Crâne renversé, le maire adore ce bleu profond qui lui rappelle le ciel alsacien après la pluie. Quel bonheur de contempler tous ces rinceaux peuplés de feuillages verdoyants, de fleurs épanouies, de fruits savoureux et d'animaux gras. Ici, une mousse dessinée déborde d'un bock de bière semblant fraîche qui fait saliver Andreas Drachenfels. Il n'avait jamais prêté une attention particulière à ces poutres pourtant remarquables sauf plusieurs fois en envisageant de s'y pendre afin d'oublier la pollution de l'eau, les mœurs du clergé, les conditions météorologiques, les maladies incurables, la famine et la chorémanie ahurissante des Strasbourgeois. Sinon, admirez le travail de décoration précise, certes un peu chargé mais on distingue bien les ornements. Certaines travées sont si jolies qu'on espérerait qu'elles soient des fenêtres ouvertes sur les étals des marchés. Quel chef-d'œuvre d'harmonie et d'abondance. C'est splendide. Le maire se demande s'il reverra un jour d'aussi belles choses en ville. Nuque creusée, il devient tellement ébahi par les illustrations des travées qu'un vertige a raison de son équilibre. Il se rétablit en reculant un talon avant que d'avancer l'autre pour faire contrepoids puis recommence le va-et-vient en étendant ses bras formant un balancier de funambule. Il ondule du cul.

L'amplitude des oscillations de son bassin le conduit à se dandiner d'une patte sur l'autre. Ses épaules bougent en des mouvements de vagues. Ses genoux semblent aller mieux. Il s'agite à présent sur place avec une souplesse inattendue. Pupilles obnubilées fixées aux poutres peinturlurées, sa fuite hors de la réalité le fait presque valser et dans un entier oubli de lui-même il se met à danser. Espère-t-il ainsi échapper à ses cauchemars ? Le voilà plus léger comme s'il allait s'envoler. Ses bras s'élèvent, redescendent. Il tournoie sur la pointe d'un pied avec des airs de ballerine inspirée. Il entrechoque ses paumes dans un rythme personnel puis se déchaîne lorsque la porte de son bureau s'ouvre sur un adjoint qui entre en disant :

— *Ammeister*, à propos de l'épidémie je me demandais si...

La phrase du *secretarius* reste figée en l'air. Drachenfels lui rabat son caquet, ordonnant d'un index tendu :

— Ne racontez à personne ce que vous avez vu !

Au même instant, dans le scriptorium de la cathédrale, où jadis des moines copistes réalisaient des livres manuellement, devenu superflu depuis l'introduction de l'imprimerie à Strasbourg, c'est jour de lessive... Un bedeau met à tremper dans un grand baquet en bois du linge liturgique – des toiles de pales destinées à couvrir le calice durant la messe pour protéger le précieux Sang mais là souillées de taches de vin, des purificatoires pour assainir les lèvres du célébrant après la communion, des manuterges pour essuyer les paumes de celui qui pratique l'office, des nappes d'autel symbolisant le dernier repas de Jésus et son linceul, des aubes, des corporaux, des étoles, des conopées en lin des Vosges. Le tout, blanc, barbote parmi des cendres, servant de savon, saupoudrées dans une eau glacée tirée du puits profond du célébrissime édifice. C'est la seule onde pure et la plus fraîche qu'on trouve en ville. Elle serait davantage utile pour désaltérer les gens mais bon, faut pas rêver... la maison du bon Dieu a ses limites. Le prince-évêque de cinquante-deux ans, Guillaume de Honstein, traverse le scriptorium sans prêter attention au baquet devant lequel le bedeau murmure : « Je reviendrai rincer et essorer tout à l'heure... » Passant à grandes enjambées rigides par le transept de l'église mère de son diocèse, le long dignitaire ecclésiastique, avec sa tête de pas marrant et ses joues quotidiennement lavées au lait de paroissiennes, est rattrapé par un pieux et savant personnage, un docteur de la Sainte Écriture, qui lui a demandé audience. Cet homme plus âgé et trottinant porte sous son bras gauche un rouleau de papier qui étonne Honstein :

— Qu'est-ce ?

Sous les arceaux tendus d'ombres d'une pièce aux murs intérieurs recouverts de peintures moralisatrices, le questionné répond :

— Une feuille volante trouvée clouée contre la porte de votre demeure.

— Qui s'est permis ?!

— Quelqu'un qui risque de vous donner du fil à retordre, monseigneur...

— De qui parlez-vous, de Drachenfels ?

— Non, j'évoque un obscur moine du duché de Saxe : Martin Luther. Depuis la fin de l'an dernier il veut réformer le clergé et même peut-être fonder une autre religion.

— Allons bon !

— Il profite des nouvelles machines de Gutenberg afin de diffuser en masse sa feuille volante qu'il fait placarder par des mains anonymes aux portes des églises, couvents, maisons de chanoines, la vôtre... et qui présente ses quatre-vingt-quinze thèses condamnant la vente d'indulgences.

— Faites voir.

En onéreux habits de soie parmi le jour douteux qui flotte dans cet endroit de la cathédrale, le prince déroule la feuille qu'il parcourt tout en articulant quelques-unes des quatre-vingt-quinze thèses numérotées :

6. Le pape n'a pas le pouvoir de pardonner les péchés au nom de Dieu.

Honstein élève un sourcil.

11. La métamorphose des péchés en éternité au Paradis est une ivraie semée certainement pendant que les évêques dormaient.

Le dignitaire étire un rictus à ses lèvres.

24. Cette magnifique et universelle promesse de rémission de tous les péchés pour qui paie trompe le peuple.

Guillaume de... retient un sourire.

43. Il faut enseigner aux chrétiens que celui qui donne aux pauvres ou prête sans intérêts aux nécessiteux fait mieux que s'il achetait des indulgences.

45. Il faut enseigner aux chrétiens que celui qui, voyant son prochain dans l'indigence, le délaisse pour s'acheter une indulgence ne s'offre que l'indignation de Dieu.

50. On voudrait espérer que le pape ignore les exactions des prédicateurs d'indulgences et que s'il les connaissait il préférerait voir la basilique Saint-Pierre réduite en cendres plutôt que bâtie avec la chair, le sang, les os de ses brebis.

— Pff...

66. Les indulgences sont des filets avec lesquels on pêche les richesses des hommes.

L'évêque réfrène un «C'est pas faux» prêt à lui quitter la bouche. Mais bon, des thèses, il en snobe beaucoup comme s'il n'avait pas que ça à foutre. Il en arrive à la quatre-vingt-sixième :

86. Pourquoi le pape n'édifie-t-il pas la basilique Saint-Pierre de Rome de ses propres deniers plutôt qu'avec l'argent des pauvres alors que sa richesse est si grande ?

«Il est complètement fou ce moine ! Bon, ça suffit, je l'ai assez lu», se débarrasse le prélat en réenroulant la feuille volante pour la rendre au docteur de la Sainte Écriture qui se permet de commenter :

— Je sens qu'on assiste à la naissance de quelque chose... Un vent mauvais souffle autour de la cathédrale.

Dans la cité qui abonde en reliques parmi lesquelles une goutte de lait de la Vierge (dont on peut se demander comment elle fut récupérée puis conservée...), l'évêque, qui en revendique l'authenticité, ne croit pas au succès possible du Martin Luther :

— L'institution traditionnelle refusera l'arrivée de cette réforme dogmatique.

— Aura-t-elle le choix ?

— Mais enfin, que veut-il exactement, là, l'autre Lulu de la Saxe ?

— Il réclame que votre parole porte le cachet de vos bonnes œuvres et qu'elle soit appuyée du témoignage de vos vertus.

— Oh, là, là !...

— Faites attention, monseigneur, insiste le vieux et savant personnage dans la lumière de vitraux colorés. Sous ce que beaucoup nomment votre long et peu digne épiscopat, sa Réforme infiltre la ville de Strasbourg qui, mine de rien, s'y trouve déjà aux avant-postes. C'est comme lorsqu'au printemps dernier, en plein jour sous un ciel clair, la foudre a frappé la couronne de la cathédrale, glissé le long de la tour et pénétré jusque dans son chœur sans un bruit en y provoquant d'importants dégâts qu'on aurait pu considérer mauvais présage.

En son orgueil vraiment babélique, le prince tonsuré réfute ces avertissements qu'il raye d'un soupir excédé alors que l'interlocuteur insiste :

— On ne vous blâme pas que de filouter les paroissiens affamés par d'habiles mensonges et force boniments, on vous accuse également de laisser leur dépouille à l'abandon des rues, pire que s'ils étaient des chiens dansants crevés au hasard du sol sans même que vous ayez la charité ni preniez la peine de les faire ensevelir.

— Et alors, ces morts sans sépulture ont pour dais le grand ciel. Où pourraient-ils avoir plus belle couverture qu'un vaste firmament tout constellé d'étoiles ? réplique l'évêque qui part, articulant bizarrement ses chevilles.

— Avez-vous mal aux jambes ? lui demande le docteur de la Sainte Écriture en le regardant aller.

«Nullement», promet le prélat qui, retournant vers d'où il était venu, s'apprête à traverser le scriptorium en sens inverse. Mais, sitôt que dans son dos il en a bouclé la porte et tiré les verrous, les épaules de Honstein filent dans tous les sens, ses chevilles le font bondir, ses genoux qui tracent des huit sous sa robe chahutent l'étole, ses hanches toupillent, et il se met à danser comme un furieux en gueulant :

— Oh, enfoiré de Dieu des vieilles bibles, par les menstruations de la Vierge, cette théologie nouvelle signifierait la fin des dîmes, indulgences, taxes ecclésiastiques, et de ma mainmise sur Strasbourg et ses profits !

Envisager cet avenir livre le prince-évêque aux vagues déchaînées d'un corps qu'il ne maîtrise plus. Ne parvenant à l'arrêter, il se laisse basculer en arrière, tout habillé, dans le grand baquet contenant du linge liturgique et empli d'eau glacée. Waouh, ça secoue ! D'abord cul au fond de la cuve, la tête de Honstein qui fait des bulles réapparaît ensuite à la surface, coiffée d'un purificatoirc au centre d'une tonsure dont les cheveux courts en couronne pendent, plaqués au front et vers les tempes, la nuque. Creux des genoux chevauchant le rebord du récipient en chêne au-dessus de mollets toujours envahis de secousses ainsi que les chevilles, Honstein veut considérer le bain d'eau froide comme une thérapie efficace. Il s'immerge à nouveau le haut du corps parmi des nappes d'autel qui couvrent ses épaules lorsqu'il remonte pour momentanément quitter l'apnée. Les cendres faisant office de lessive ruissellent en dégoulinades grises le long de son visage de très catholique tyran local. Enchaînant d'autres allers-retours verticaux dans la flotte qui caille et déborde en cascades sur les dalles, les pensées du prélat finissent par se trouver moins en feu. Peu à peu, il apaise sa panique mais plonge à nouveau, restant longtemps entouré d'aubes, de manuterges, conopées, qui nagent autour de lui. On prierait pour que l'évêque n'en remonte pas, se noie dans les eaux sales de la papauté.

Maintenant, à l'heure où les ombres de début septembre s'étendent sur les maisons de la rue du Jeu-des-Enfants, c'est enfermées derrière une porte close que des familles entières s'adonnent à la danse. Les soldats qui patrouillent sur les places, à l'intérieur des cours et le long des voies de la cité fortifiée, font en sorte que la directive municipale soit respectée. Du fer de leur lance, ils repoussent chez eux les indisciplinés osant venir virevolter une chorée dans le chambranle ouvert des demeures. Au travers des fenêtres, les militaires assistent aux danses à domicile, distinguent des habitants en train de bondir sur les tables, les bancs pour s'y agiter. Ils sautent et beaucoup heurtent du crâne des poutres en poussant le cri puissant d'un cor malgré l'interdiction musicale. Certains, debout sur leur poêle, gueulent tels des fous qu'ils se meurent et, près d'une enseigne de xylographe, de l'autre côté de carreaux en verre coloré, la fine silhouette d'Enneline Troffea remue à tout-va.

Son mari, assis sur le grand coffre près du lit conjugal à l'étage, lève les yeux vers sa blonde. Melchior plaint le délire de la jeune mère qui danse par-dessus le matelas en ne quittant pas sa détresse près d'un berceau vide. L'artiste attentif lui a natté ses cheveux pour qu'elle ne les ait plus devant les yeux. Il lui a aussi enveloppé de quantité de linges le bas de ses jambes meurtries si bien que lorsque la frêle infanticide fait un pas maladroit de côté ou pivote on la croirait munie de pieds d'éléphante. Elle n'entrouvre toujours pas les lèvres, Enneline, devant son amoureux qui mâche plusieurs de ses vieilles images gravées datant des jours heureux. Des foules en liesse, des scènes de mariages, des fêtes en costumes traditionnels tournicotent en boue entre ses dents devenues noires à cause de l'encre d'imprimerie. Il s'empare d'un gobelet en étain empli d'eau sale qu'il porte à sa bouche, boit, puis observe dans le reflet du récipient de baptême le galbe de la taille de son amour qui se déforme, s'étire, se tasse. Ustensile métallique reposé et souper de papier terminé alors que le soir tombe, il contemple encore sa femme, se dit qu'il faut avoir tant de chaos en soi pour danser ainsi. D'ailleurs, lui même... ressent des picotements inédits le long des jambes et des micro-secousses aux épaules. Il s'en inquiète et s'affole devant la *patiente zéro* de l'épidémie qui continue à gesticuler. Les reins de Melchior ondulent à présent de droite à gauche. Comprenant ce qui lui arrive, il réagit vite en se levant :

— Non, pas moi ! Je dois rester lucide pour aider Enneline !...

Il soulève le couvercle du grand coffre d'où il sort deux longues chaînes ayant servi à tracter, lors de son installation, la lourde presse à imprimer jusque dans l'atelier de gravure du rez-de-chaussée.

— Ne pas danser !...

À nouveau fesses posées à même le couvercle refermé, l'hirsute artiste dégingandé joint ses chevilles vibrantes qu'il entoure ensemble, fermement, de la chaîne qui peu à peu encercle également ses mollets frétillants puis, plus haut, les genoux accolés commençant à vouloir fuir dans tous les sens. Il parvient, non sans difficulté, à introduire la suite d'anneaux en fer par l'un d'entre eux pour la maintenir du mieux possible. Un bout pend. Melchior oppressé transpire et suffoque. Jambes dorénavant coincées, prenant la seconde chaîne, il s'évertue de faire la même chose autour de ses bras qu'il voudrait plaqués contre ses côtes mais c'est plus difficile car ils bougent malgré lui, s'élèvent, s'écartent, partent en toutes directions bien qu'il tente de se convaincre :

— Ne pas danser !

Alors que le cou seul du graveur se met à basculer sans cesse, sa femme aux articulations dézinguées s'écroule hors du matelas matrimonial sur le petit lit de bébé qui explose en éjectant des tas de fragments en l'air. Le berceau grêle n'a plus, le long des lattes de parquet, que les débris d'une ombre tellement regrettée. C'est une ruine, une épave au destin trop bref faisant le grand malheur commun du couple Troffea.

Enneline, semblant insensible à toutes douleurs physiques et d'une agilité peu commune, se relève et recommence à danser, à aller au plus profond d'elle-même tandis que son époux, parvenu à s'enchaîner les membres supérieurs collés au buste, maintient dans ses poings crispés l'extrémité des deux suites de maillons qui le privent de mouvements. L'une virevoltant devant l'autre saucissonné, ces responsables (faut voir...) du décès de leur enfant font peine à regarder même si d'aucuns (des donneurs de leçons), les trouvant ridicules, se moqueraient d'eux dans la pénombre survenue de la chambre et tireraient la langue à ces pauvres cœurs assassins.

16.

Au sommet de l'unique flèche de la cathédrale la nuit prend l'air et, sur la plateforme de la seconde tour, le guetteur aussi. De ses yeux de vache, très au-dessus de cette ville dans les affres et l'attente d'une invasion turque, il surveille la noirceur des alentours, épie si là ou là n'arriveraient pas, formant comme un lever du jour à l'horizon, les quantités de lueurs des torches de l'armée ottomane fonçant sur la cité. À côté de la fêlée *Tüerkeglock* surhaussée au milieu d'une armature de poutres disposées en forme de tente d'Indiens et marteau entre ses mains prêt à cogner l'alerte, les yeux dans le vague du guetteur s'élèvent parfois au ciel. Pas d'oiseaux dans l'espace, plus d'*Ave Maria* dans la brise qui passe. Visage de bovin ahuri saupoudré de sommeil, le veilleur, en même temps qu'il ravale sa salive, boit à plein verre les étoiles. C'est pour lui, sans mourir, une visite des cieux. Préparé à prévenir ceux qui en bas ne vivent plus que d'alarmes, sous des astres qui ont dû dévier vers des fins diaboliques en semant la panique dans les âmes strasbourgeoises, il interroge le ciel, étant entre les ténèbres célestes et le désespoir des gens au sol. Pupilles peuplées de visions nocturnes, le guetteur de la cathédrale qui a beau écarquiller ses paupières n'y voit goutte, pas de Turcs, mais à l'aube...

À l'heure où la ville semble s'apaiser, où la vie réapparaît aux fenêtres, un coin de ciel s'ouvre soudain comme une porte et brutalement les yeux du guetteur s'agrandissent, s'étirent dans tous les sens. En ce bazar sanglant où se colore le jour, la vallée là-bas s'empourpre des reflets d'une tuerie. Le pauvre veilleur voit l'infernal, découvre la silhouette d'une armée qui rapplique, fumante. Il en est si stupéfait qu'il balbutie des sons hélas incompréhensibles. À cet instant censé apporter la lumière et la consolation, le guetteur se lance pour annoncer l'Enfer. À coups de marteau il cherche à faire gueuler la *Tüerkeglock*. Quelle déception que ce bruit :

— Tonk. Tonk. Tonk.

La cloche, parce que fêlée, ne sonne pas. Rien ne résonne en elle. La rapidité du veilleur de la plateforme s'avère inutile alors qu'il s'imaginait vite mobiliser les soldats strasbourgeois qui aussitôt auraient bloqué les rues pour empêcher que se répandent partout les Turcs.

— Tonk. Tonk.

Le veilleur désappointé se résout alors à placer ses mains en porte-voix vers ceux d'en bas mais serait-ce parce qu'il a la respiration trop oppressée, la voix si faible, aucun son intelligible de ses paroles ne descend aux oreilles des premiers habitants sortis dans les rues. Malgré tout, deux bougres, croyant avoir perçu comme un croassement, lèvent les yeux vers celui, devenu tout gris, qui s'agite en bord de balustrade, au-dessus de l'immense rosace, parmi des centaines de statues de saints, pécheurs, démons qui s'entremêlent.

— Qu'est-ce qu'il dit, l'autre ? On ne comprend rien !

— Ce doit être un muet parce que sourd...

— Quel est le con qui a ordonné de placer un sourd sur la tour ?

— Y a'iii ! Y a'iii ! tente désespérément d'articuler le veilleur en ne beuglant que des voyelles.

— Ils arrivent ? parvient à décrypter l'un des deux gars. Mais qui arrive ?! Les Turcs ? s'angoisse-t-il, faisant mine d'étirer de longues moustaches et prenant des airs terribles.

Tout là-haut, entre les représentations minérales de créatures fantastiques, le guetteur, lui-même à tronche de mi-homme, mi-veau, acquiesce d'une série de grands basculements verticaux du front.

— Ils arrivent par où ? s'inquiète le second curieux qui fait mine de chercher partout quelque chose.

« A'à ! A'à ! » indique le veilleur en se tournant vers le sud qu'il scrute mais où il ne voit plus rien. L'armée turque a disparu. Ce n'était en fait, poussé par le vent, qu'un nuage de poussière s'élevant sur les champs secs, poussière qu'il avait confondue avec celle qui aurait été remuée par des milliers de sabots au galop. Le guetteur déconfit écarte alors plusieurs fois ses bras du centre vers les côtés en signe de négation. Ses doigts, vers le sud, jettent aussi des baisers comme s'il disait au revoir à l'armée ottomane. L'un des deux d'en bas, s'en allant momentanément rassuré et quittant des yeux la *Tüerkeglock*, plaisante auprès de son copain :

— Je vais te poser une devinette en français : « Quelle église d'Alsace a trois tours et deux cents cloches ?» Tu ne vois pas ? C'est l'église d'Ebersmunster parce qu'elle a «trois tours et deux sans cloche». Eh, tu pourrais rire, l'humour c'est de rire quand même...

Depuis son poste de garde en face de la flèche de la cathédrale découpée, élégante, légère et transparente, le guetteur, avec le matin, redécouvre au loin à l'est la Forêt-Noire. À l'ouest, il grimace devant le Rhin sauvage et fantasque aux rives ravagées par de nombreuses inondations et dont le pont, dernier point de passage sur le fleuve avant la mer du Nord, fut arraché par la fantastique crue de printemps en provoquant un désastre économique pour Strasbourg qui y prélevait son droit de péage – source de grands revenus. Le veilleur baisse un peu les yeux sur les remparts qui l'encerclent avec ses tours et bastions médiévaux censés assurer la sécurité s'il n'y avait pas tant de gardes à y danser des tresques en se donnant la main. À la verticale des angoisses humaines et de ce qui fut une des plus belles villes de la chrétienté ayant la chance d'avoir une rivière qui se divise en plusieurs bras dans et autour de la cité maintenant en proie à des malheurs d'une gravité sans précédent, le guetteur sourd examine, au pied de la cathédrale, les rues pavées, de nombreuses cheminées, des étuves, quelques maisons somptueuses, trop d'églises et de couvents. Détaillant tout, il regarde deux silhouettes qui sortent entre des tonneaux, rue du Jeu-des-Enfants.

17.

Attale et Jérôme Gebviller perdent des bouts de doigts, de joues, de narines, en dansant devant chez eux. Ce couple, se donnant ce qu'il leur reste de main, marque chaque temps imaginaire par des sautillements, remue une puanteur de chair pourrie. Les cloques, pustules et ulcères de leur figure, bras, jambes, proviennent de ce qu'Attale a rapporté comme nourriture à la maison. La merde de syphilitiques et de pestiférés c'est pas du bio. Leur corps s'est fondu en des maladies suscitant l'horreur et le dégoût. Tous s'écartent d'eux. Même les lépreux les évitent en allant secouer la crécelle plus loin. Tronches rongées par les chancres du désespoir, ils continuent de tisser le canevas de leur piteux destin en remontant la rue du Jeu-des-Enfants comme on remonte le déroulé d'une malheureuse histoire.

Au bout de la voie, le capitaine Johannes Gensfleisch, resté torse nu près d'un soldat portant une arbalète et un carquois accrochés à sa ceinture, voit arriver les Gebviller qui répandent leurs danses et maladies contagieuses. Le capitaine ordonne à son subalterne :

— Il est interdit de se trémousser dehors. Arrêtez-les.

Yeux écarquillés, découvrant à son tour le couple mobile entouré de phalanges qui s'envolent pour tomber au sol, le trouffion réplique à son supérieur :

— C'est ça !... Allez-y, vous, capitaine ! Filez donc leur serrer la main mais attention de ne pas revenir avec. Vous les embrasserez aussi pour moi !

— Une rébellion ?

— Moi, déjà les Turcs, ça ne m'enchante guère mais eux je n'y touche pas !

Le capitaine se doit de reconnaître que...

— Bon, alors trouvez-nous deux fourches. Il faut qu'on les vire de là. Direction la Maladrerie de l'Église Rouge hors des remparts.

Attale et Jérôme, quoique en petite forme, ne sont pas sourds. Ils ont bien compris qu'on vient de décider leur mort sociale. Ils l'ont compris et s'en foutent. Partageant un regard muet, leurs âmes s'embrassent et l'épouse ose attacher son ombre à celle du mari. Les deux vont en gambadant comme des farfadets, poussés par les pointes métalliques des fourches que tiennent la paire de militaires qui les font progresser prudemment sous le vent afin de ne pas se retrouver contaminés notamment par leur peste – la *Mort Noire*. Passé la porte de Cronenbourg, Johannes Gensfleisch explique à voix haute aux bannis :

— Vous voyez, tout entouré d'un fossé, le pré à baraquements là-bas où des incurables comme vous grouillent contre une chapelle en planches rouges ? C'est là où vous allez devoir vous diriger pour y passer vos derniers jours. Ce ne sera qu'en agitant de grands gestes de part et d'autre des prairies encerclant la zone que vous pourrez entrer en contact avec les membres de votre famille. En avez-vous ?

— On en a eu.

— Bon, nous, on ne s'approche pas davantage de la Maladrerie. Mais, vous, continuez tout droit sans faire de détours ni jamais revenir de votre territoire sinon vous serez tirés à l'arbalète sans pitié.

Mme et M. Gebviller haillonneux et hagards, cervelles mâchées comme poires blettes et débris de corps exaltés par la danse, vont, dur souci parmi d'autres soucis avec d'humides brouillards dans leurs yeux. Le bas de la robe rêche d'Attale balance comme une marée tandis que Jérôme roule des yeux, remue la tête, promet, de sa bouche virale aux lèvres suintantes, à celle qui en braie un rire d'ânesse béate :

— *Zämme ! Mir gehn uffs schiff.* (Ensemble ! Nous allons sur le même bateau.)

Dans leur désordre cérébral et musculaire, sans besoin de carte, ils traversent des champs comme un filet d'eau s'en va de la ville.

18.

— Est-ce fête ?

Après avoir soufflé une lampe fumeuse, l'évêque de Strasbourg sort d'un cabinet étroit et apparaît au fond de la nef de la cathédrale en compagnie de l'âgé docteur de la Sainte Écriture qui l'avait mis en garde concernant la montée en puissance de la Réforme de Luther. Les deux sont très surpris de voir autant de paroissiens arriver à l'heure de la messe en ce dimanche pourtant ordinaire de septembre. Ils déboulent de partout, passant entre les représentations de saints des trois portails. Leur nombre croît sans cesse. Il en grouille maintenant tant sous les voûtes qu'on ne saurait les compter. Tout comme de l'odeur d'un morceau de lard lui chatouillant les narines, Guillaume de Honstein s'esbaudit près de celui qui l'accompagne :

— Regardez, pieux et savant personnage, vous qui me racontiez que nous étions à l'entracte de deux mondes, l'ancien mourant et l'autre naissant à peine, depuis sa création, la cathédrale n'a jamais dû s'emplir d'autant de fidèles !

L'évêque au long pif se terminant en forme de cul d'ange dévoile des dents de loup :

— Aujourd'hui, chacun veut avoir son mot à dire, faire des reproches, mettre son nez partout, mais voyez plutôt le résultat. Docteur, vous seriez aussi habile à diriger l'Église que l'âne du meunier à jouer de la viole !

Le vieil insulté à la modestie polie ne répond rien – la patience adoucit l'irritabilité – mais il n'en pense pas moins, tel un encensoir oublié qui fume en secret pendant que la nef continue de s'emplir de quelques-uns, enveloppés de beaux draps fins de Leyde, mais aussi de quantité d'autres, maigres, à blouse ample en toile bleu foncé ou coutil gris. Sur le dallage dépourvu de bancs, les souliers à bec déambulent librement et croisent des chaussures à semelle de bois rigide et tellement de sabots contournant des tombeaux de riches Strasbourgeois qui, pour être plus proches des saints, se sont fait inhumer directement dans la cathédrale contre une bonne rémunération réglée à Honstein (Messire Gros-Magot). Des envieux nantis décédés ont fait graver dans le marbre l'écusson de leur mère, ne sachant pas très bien de quel père ils descendaient. Des bigotes en habits brodés au point de croix parce que ce motif laissé par l'aiguille rappelle le calvaire du Christ se signent au bénitier un nombre incalculable de fois à moins qu'elles ne s'aspergent pour se rafraîchir le visage par ce temps caniculaire. Comme il se doit, la teinture rouge de leurs vêtements, pour que la couleur prenne bien, a duré le temps d'un *Pater* ou d'un *Ave Maria*. En regardant de près ces culs bénis on verrait aussi des trucages et l'évêque monte à sa chaire.

C'est de cette dentelle de pierre adossée contre un pilier que Guillaume de Honstein lui-même prêche les dimanches, jours de carême et lors d'événements exceptionnels. Sa voix bondit dans la nef. Chacun doit l'écouter, admirer comme il parle. Étant donné l'incroyable masse du *public* – à croire que presque toute la population de Strasbourg s'est donné rendez-vous ici en ce dimanche à onze heures –, sûr de son fait, il se prend pour une star dont tout le monde veut écouter les sermons qu'il assène pourtant sans véritable pratique pastorale ni cure d'âmes. En bas de l'escalier qui mène à la chaire, le vieux docteur de la Sainte Écriture observe la foule de paroissiens d'un air inquiet mais l'évêque n'a pas plus souci du pieux et savant personnage que d'une chique. Il continue et reprend sa chanson ainsi que tous les serins. Conformément à ses convictions d'abord financières, il fait preuve d'une attitude hostile à beaucoup d'égards – manque d'empressement pour payer des indulgences, tentation de la Réforme ruineuse pour lui, etc. Quand il fustige les actes de chair, quelqu'un dans la foule se permet de ricaner à voix basse :

— Si chacun, comme lui, devait porter la bure tel qu'au couvent, qui ferait les enfants ?

Plus préoccupé de défendre ses prérogatives que d'améliorer le quotidien des paroissiens, il exerce son sacerdoce sans cœur ni pitié, mettant hommes et femmes dans le même panier, et poursuit en un parfum d'encens au son de phrases latines auxquelles personne ne comprend rien. Plusieurs lèvent distraitement la tête vers un développement marginal de rinceaux sculptés et de représentations de fleurs. Devant un dieu d'ivoire aux yeux pâles, liesse et mystères, les bons mortels paraissent s'ennuyer patiemment en attendant quelque chose.

Mais Guillaume de Honstein élève soudain sa main baguée pour donner un signal alors des doigts s'écrasent sur les touches d'un des trois claviers de l'orgue de la cathédrale. Un long son s'étire... Des dernières phalanges pianotent des cuisses de fidèles. Un pied d'organiste enfonce une pédale. Une stridence déclenche des secousses dans des épaules de paroissiens. Une mélodie s'installe. Les bassins de ceux venus à la messe ondulent. Et allons-y, le cantique. Oui, c'est un flash mob !... De grands vitraux dégueulent des flots de couleurs sur les dalles alors qu'une bigote commence par des entrechats avant que la danse ne s'empare de tout son corps. En proie à une tristesse absolue, sans doute parce qu'elle suppose que sa croyance sera bientôt révolue, ses broderies au point de croix éclatent. Ses jambes se montrent jusqu'aux hanches avec des ronds qui sentent l'école du saltimbanque. Tempêtes et orages de notes secouent la cathédrale. Voilà qu'on casse l'arc-en-ciel, qu'on plie la neige, qu'on roule la mer, tout le monde se met à danser dans les travées. Faites péter le Magnificat ! Ce hideux cauchemar n'a pas de trêve et va furieux, fou. Tous les fidèles (malades) se trouvent emportés par un même courant galvanique. Des prêtres grincent des dents derrière les colonnes. Et soudain l'intérieur de l'église mère du diocèse devient splendide d'éclairs, de fracas et de fastes. Le grand orgue accroché tout là-haut en nid d'hirondelle – buffet polychrome mêlant le vert, le rouge, le bleu, et les dorures – souffle de ses deux mille tuyaux des sons de clairon, cymbales, flûte, cornet, hautbois, qui font remuer les pattes.

Beaucoup implorent que la danse leur vienne en aide pour sortir de leur peau comme un papillon quitterait son cocon. Certains perdent la tête ainsi que ces soldats revenant de guerre, hagards. C'est tantôt sombre tel un feu de forge, tantôt léger, clair comme une fête d'enfance mais il y a toujours des soupirs et des plaintes, des cris, des pleurs. Dans cette ambiance night-clubbing de trance festival, tous, au fond de leur panique, se débattent comme des nageurs pour former une chaîne qui erre aussi autour du pilier des anges sonnant de la trompette. Les statues de la Vierge en sont stupéfaites, les tableaux des saints en restent bouche bée, dans leur galerie les apôtres en tombent sur le cul. Quelques marches de pierre au-dessus du pieux savant qui hoche la tête, Honstein n'en revient pas. En ce gothique flamboyant, la danse ressemble à de l'architecture en mouvement même si elle est également la succession de déséquilibres de ceux qui ne savent plus dire leur désespoir qu'en dansant. Derrière eux et en l'air, sous la pression du vent contenu dans dix soufflets, le «roi des instruments» arrive enfin au bout du cantique. De ses tuyaux à grands résonateurs s'élèvent très haut des aigus jusqu'à l'énorme coup de cymbale final. Avant que l'évêque n'ait le temps d'ouvrir la bouche pour hurler son indignation tous fuient ses paroles, s'échappent en une lave aussi brutalement qu'ils s'étaient mis à danser. Heureusement que les trois portails sont marqués par d'importants contreforts car les voilà légion à s'y bousculer pour ensuite rouler ou voler dans la ville tel un essaim d'abeilles. Dans l'immense nef devenue soudainement silencieuse et complètement vide – même les enfants de chœur et les chanoines ont été emportés dehors par les flots des danseurs – le docteur de la Sainte Écriture rejoint péniblement Guillaume de Honstein au sommet de sa chaire en soupirant :

— Le Saint Empire romain germanique est pris dans un mouvement centrifuge. Le glaive du pape rouille. Ils n'étaient pas venus pour prier et espérer le secours d'un des élus canonisés auxquels d'ailleurs ils ne croient plus comme le leur conseille la Réforme et ça va être votre problème, Monseigneur. Je ne sais pas comment vous pourriez vous y prendre mais il faudrait que vous redonniez confiance au pouvoir d'un saint, Materne peut-être puisque c'est celui de l'Alsace ou je ne sais lequel, sinon...

Dommage que ce ne soit pas jour de lessive à la cathédrale parce que l'évêque se serait bien pris un bain d'eau glacée.

19.

Sur un mur blanc de la ville en état d'apoplexie, un graffiti a été charbonné par une main anonyme (mais on croit reconnaître le style de dessin de Melchior Troffea). Sans doute parce que des soldats sont soudainement apparus au loin, le souilleur de façade n'a pas pu terminer son œuvre. D'une colonne vertébrale en cours d'exécution, le charbon de bois a dérapé pour laisser une trace glissant vers le bas...

... mais l'artiste a quand même pris le temps d'écrire dessous : «Fait dans la peur à Strasbourg».

20.

Strasbourg sans plus une goutte de bière donne une idée de l'Enfer surtout lorsque, comme Andreas Drachenfels assis en terrasse du local officiel de la corporation des brasseurs, on doit soulever une corne à boire emplie d'eau sale entre ses lèvres. Pour un Alsacien, c'est dur... Au bord des commissures, les moustaches tachées de l'*Ammeister* pendent comme si elles avaient préféré se donner la mort. Le chef du gouvernement de cette minuscule république ne sait la manière de les ressusciter :

— Est-ce que François Ier et Maximilien Ier sont autant emmerdés que moi ?...

« Vos deux collègues n'ont pas de fortifications qui s'affaissent et se fissurent autour de leur pays, empire, eux... », soupire l'adjoint au maire, ayant le titre de *secretarius*, qui s'évente à l'aide de son chapeau plat et poursuit : « ... tandis que nous, ne serait-ce qu'à la porte des bouchers et à celle des pêcheurs, tout menace de s'écrouler. Il nous faudrait au plus vite des pierres déjà façonnées pour renforcer les remparts mais où trouver ça et comment les payer ?... »

Drachenfels fait comme s'il n'avait pas entendu. Affalé près de son *secretarius* sur un banc adossé contre le mur de ce lieu de réunion corporative nommé *À la Lanterne* parce que, au-dessus de sa porte, s'écaille la peinture d'un ours dressé tenant une lanterne, l'*Ammeister* a préféré venir se poser un peu ici plutôt que de rester continuellement à la mairie où il croit qu'il va devenir dingue. Il en a tellement marre de tenter des solutions, toujours loupées, pour sauver cette cité fortifiée dans un état... Il a ressenti l'important besoin de venir en cet endroit réservé aux brasseurs qu'il a hâte de retrouver afin de n'être plus qu'un des leurs sans autre responsabilité. Il pivote sa lourde tête vers la peinture murale représentant le gros ours, son sosie qui élève une lanterne tandis que lui ne parvient plus à y voir clair. Sous un insensible ciel torride et cerveau devenu comme de la boue chaude, il en arrive même, lui que ça faisait ricaner, à vouloir savoir ce que le firmament prévoit. Il regarde ensuite devant lui et sur les côtés mais, à travers les fenêtres des habitations, il n'aperçoit que des gens sautant sur leurs tables, bancs, pour y danser. Tous paraissent totalement déconnectés de la réalité, se trémoussent chez eux comme les jours de fête carillonnée, après les mariages, les baptêmes. Par des chambranles de portes ouvertes, il entrevoit tant de familles entières farandoler à demeure. Ces affamés décontenancés, lors de courses cadencées exécutées main dans la main, ont le regard vague, le visage tourné vers le plafond, coudes, genoux, animés de mouvements spasmodiques et épuisés. Leurs robes, chemises, dégoulinantes de sueur, collent à leurs corps émaciés. Devant ces danses endiablées et mortelles, Drachenfels assiste à la détérioration complète de la situation que les Strasbourgeois ont fini par appeler : *tànzplö* (peste dansante). Force est au maire de constater :

— On ne s'en sort pas de ce merdier !

Alors, tapotant une cuisse du *secretarius* couverte d'une culotte de velours noir fermée sous les genoux par des rubans, il décide :

— Bon, ça va me percer un deuxième trou au cul mais il faut contacter l'évêque. Moi, je n'y arrive plus.

21.

Les bottes en cuir de cerf fauve du *secretarius* font depuis un moment les cent pas dans la cathédrale quand Guillaume de Honstein sort du *scriptorium* en frottant son crâne trempé d'eau froide avec une conopée brodée de fils d'or en guise de serviette. Il ne paraît pas de bon poil, ce père fouettard alsacien qui demande tout à trac :

— Que peut donc avoir un émissaire du conseil à m'annoncer de si urgent ?

— En gros, Monseigneur, concernant les danseurs, l'*Ammeister* vous passe la main.

— Ah oui ?!

Manches de sa soutane violette relevées, le prélat s'essuie longuement les bras, réfléchit, évalue, pèse le pour et le contre, semble en fait se rendre compte du cadeau, d'une opportunité inespérée, mais il précise quand même car on ne se refait pas :

— Ce sera payant pour la ville.

— Si Drachenfels était là, il vous dirait : «Vous êtes vraiment un rapace.» Aux tripes d'un chien pendu

111

il vous assimilerait puis ajouterait : «Mon âme vous vomit.»

— La prochaine fois que l'*Ammeister* aura quelque chose à me dire, qu'il vienne chez moi puisqu'il m'a chassé de sa mairie...

22.

Près d'une catapulte tractée hors de la ville jusqu'au bord d'un champ par des soldats faisant des entrechats, en ce lieu blême où sanglote une nouvelle aube, le seulement à demi vêtu capitaine Johannes Gensfleisch, accompagné de son arbalétrier, est venu commander l'envoi de sacs de nourriture, payés par Strasbourg, en direction de la lointaine Maladrerie que personne ne doit approcher par crainte de contamination mortelle.

— Veuillez déclencher le tir.

Le long bras de la machine de guerre utilisée pour expédier des boulets à grande distance se tord vers l'arrière grâce à des cordages qui le tirent puis il bascule brutalement dans l'autre sens pour vider sa cuillère d'un solide emballage de victuailles qui file longtemps dans l'air avant que de retomber à proximité de l'Église Rouge là-bas.

— Un envoi d'eau maintenant puis ça ira pour la semaine. Soldats, plutôt que de farandoler, chargez ce demi-muid trouvé dans un atelier de la rue du Jeu-des-Enfants et n'appartenant plus à personne. Ainsi, s'il éclatait lors de sa chute, au moins il n'aura rien coûté à la ville qui en ce moment... Prêts ? Tirez !

Enfermé, du liquide glauque des canaux puants de Strasbourg se trouve catapulté jusqu'à un baraquement lointain à côté duquel il roule sans jaillir à travers des éclats de bois éparpillés.

Gensfleisch apprécie :

— Ils étaient bons dans leur métier ceux qui ont cerclé ce tonneau. Allez, on rentre ! Mais que se passe-t-il à gauche des planches de l'Église Rouge ? Regardez ce couple de lépreux enlacés qui s'apprêtent à franchir le fossé de leur territoire... Ils partent alors qu'on vient d'envoyer des aliments. C'est comme s'ils en avaient assez de vivre, ces deux-là. Ils savent ce qu'ils risquent à quitter la Maladrerie. Ça fera deux bouches de moins à nourrir et abreuver. Arbalétrier, visez-les.

Celui aux ordres sort du carquois, à droite de sa taille, une flèche (carreau) qu'il coince par le travers entre ses dents puis il se penche, semelles plaquées sur la partie arc de l'arme de jet posée au sol, pour étirer verticalement, à deux mains, la corde qu'il élève jusqu'à un cran de la glissière à l'intérieur de laquelle il insère son projectile. Redressé et ayant épaulé, il ferme un œil et regarde de l'autre par le trou d'un os servant de viseur. Dans l'orifice, direction plein est, il découvre à contre-jour, devant le soleil éblouissant, les silhouettes des deux accouplés qui ne forment plus qu'un, comme une minuscule tache noire et ondulante qui s'étire, se rétracte, rongée par la lumière après avoir franchi la frontière. L'arbalétrier, retenu par un scrupule qui l'honore, écarte la paupière de son œil clos vers le capitaine en soupirant : «On dirait que quelque chose les unit tellement...» mais Gensfleisch lui conseille : «Dites-vous que ce sont des Turcs.» L'arbalétrier vise, appuie d'un index sur la gâchette.

23.

« En supplément de ce que m'a déjà versé la ville, je ne précise aucun tarif pour les frais de transport. On paie ce qu'on veut ! » s'exclame, debout sur un muret, l'évêque magnanime dans son ample aisance de prélat en dentelle. « Mais bon, une taxe d'escorte est toujours bonne à prendre... », murmure-t-il ensuite avant d'entrechoquer ses mains et porter à nouveau haut la voix : « Que tous les danseurs grimpent à bord de ces soixante chariots qui ont transporté à Rome les sacs de pièces d'argent provenant de la vente des indulgences strasbourgeoises ! Ils ont franchi les Alpes dans les deux sens. Ils pourront bien encore vous conduire à moins d'une journée d'ici jusqu'en haut du col de Saverne, chez saint Guy ! »

En ce 21 septembre, premier jour de l'automne où chaque année, par temps clair, un rayon vert vient dans la matinée traverser la cathédrale depuis le triforium sud pour aller heurter le front du Christ de la chaire – bizarrerie habituellement appréciée –, personne ne se trouve sous la nef afin de contempler ce phénomène en fait naturel au moment de l'équinoxe. Les valides de la cité fortifiée sont venus à la porte de Saverne assister au départ des contaminés par la danse et écouter Guillaume de Honstein faire l'article comme un bonimenteur de foire :

— Guy, né en 303 près de Naples, a demandé à Dieu le pouvoir de guérir des affections convulsantes ceux qui le célébreraient. Il est l'un des quatorze saints qu'on doit invoquer lors de maladies !... Les danseurs de Strasbourg vont donc devoir aller ensemble rejoindre sa grotte couverte d'ex-voto pour y recouvrer leur état normal ! Cela contribuera également à vous prouver la puissance miraculeuse des saints catholiques réfutés à tort par la Réforme !...

Un spectateur sceptique, peut-être nouveau luthérien, soupire à propos de l'évêque : «Il n'est plus habile homme pour souffler des fadaises...», mais Honstein, tonitruant, écarte grand les bras et poursuit comme s'il était lui-même, à sa chaire de la cathédrale, Jésus au front percuté d'un rayon vert :

— Même pour l'*Ammeister* la science des docteurs n'est enfin plus à l'honneur ! Je le rabâche depuis le début : cette danse est une punition envoyée par Guy fâché qui a voulu châtier les habitants de Strasbourg en raison de leur péché d'avarice concernant la participation à l'édification de la basilique Saint-Pierre. Il vous faut partir faire pénitence en haut d'une montagne au bout d'un chemin escarpé menant à la chapelle troglodyte dédiée au saint guérisseur !

C'est alors qu'en un troupeau venu de la campagne, des bœufs maigres aux côtes si saillantes sous le cuir, arrivent pour être attelés entre les brancards des lourds véhicules agricoles. Quantité de soldats au service de l'évêque doivent protéger ces animaux de trait afin qu'ils ne soient pas dévorés par la population, bave immédiatement aux lèvres. Ce ne sont que des bêtes trop vieilles ou malades, ordinairement promises à l'équarrisseur pour devenir suif à chandelles mais, là, véritable trésor.

« Où les avez-vous trouvées ? » demande quelqu'un à Honstein qui ne répond pas, préférant vitupérer devant la foule : « Allez, allez, on monte ! On ne perd pas de temps. Mais gare à ceux qui s'installeraient sans que je perçoive un liard. Le jeune martyr, supplicié à l'intérieur d'un chaudron empli de plomb bouillant où il a dansé et dont il est sorti indemne, ne vous le pardonnerait jamais ! » Chez l'évêque, l'amour, vieux jeu, de son semblable paraît mort. Ceux, venus accompagner des parents farandoleurs et qui possèdent encore quelques pièces de monnaie paient en grommelant : « Une folle soif d'argent détruit la raison », mais Honstein semble tellement convaincu de ce qu'il promet que des proches, voisins, de malades lui reversent tout ce qu'ils ont même si des jurons bien corsés sont lâchés. À l'un qui, soutenant son fils agité, hésite, le prélat conseille : « Réfléchis, ô brebis égarée. Tu veux conserver une goutte de miel dans ta bourse alors que, grâce à ton fils revenu guéri de Saverne et de nouveau apte à travailler, il t'en tombera de vrais ruisseaux. »

Les danseurs debout s'entassent à une trentaine par chariot. C'est un spectacle angoissant, comme un immense paquet de déments qu'on force à grimper sur les plateformes aux planches disjointes. Il y a là des tailleurs de pierre, des bateliers, saisis d'une terrible fureur virevoltante. Des marchands, artisans, quelques bourgeois et beaucoup de serfs mêlent déplacements latéraux en cercles et figures (sauts croisés, tours piqués) avant que d'être rejoints et bousculés par des compagnons, apprentis, faisant des pastourelles, des enfants sous-alimentés aux ventres gonflés qui souffrent de tremblements mais incapables de cesser de danser. C'est toute une population désespérée aux visages extatiques qui monte à bord dans une ardeur insensée. Il y a enfin des aubergistes, merciers, cordonniers, bouchers, drapiers, orfèvres, marchands de grains, boulangers, en pleine altération de l'état de conscience, presque insensibles à l'extrême fatigue et à leurs pieds gonflés ou déchiquetés.

— C'est bon, ils sont tous là ? demande en s'impatientant Guillaume de Honstein à ses soldats. Avez-vous tout ratissé sans oublier personne ?

— Non, pas encore, lui répond un fantassin. Les derniers arriveront bientôt. On est partis les chercher rue du Jeu-des-Enfants !

En cette voie, le long de laquelle presque tous les habitants se trouvent embarqués, un chanoine accompagné de deux militaires épiscopaux pénètre sans frapper chez les Troffea. Alors que le clerc diocésain s'en fout comme de sa première barrette, la paire de soldats est épatée d'entrer dans l'atelier d'un artiste. Ces trouffions du Seigneur tournent, intéressés, autour de la presse à imprimer. L'un d'eux s'assoit même devant le pupitre incliné du xylographe pour découvrir l'impression que ça fait. Il s'empare d'une petite brosse douce servant à épousseter les copeaux de bois ôtés. Il regarde une règle métallique, la pierre pour affûter une gouge qu'il soupèse. À sa droite sont entassées nombre de feuilles volantes illustrant la condition tragique de l'homme. Le soldat admire la précision du travail exercé grâce à un burin nerveux et acéré. Fouillant au bas de la pile, il choisit une image qu'il vole en la glissant à l'intérieur d'une de ses poches où elle se froisse. D'une de ses pognes de tueur au nom de Dieu, il en prend une autre qui l'intrigue au sommet du tas pendant que le chanoine, resté au rez-de-chaussée, continue d'appeler :

— Eh, il y a quelqu'un ?!...

Quelque chose grince à l'étage. Les trois visiteurs grimpent l'escalier. Melchior, assis sur le grand coffre adossé à un mur et face au lit, s'est tourné vers eux dont l'un demande en agitant une de ses œuvres :

— Vous qui êtes doué, pourquoi représentez-vous des siamois plutôt que des portraits de saints que distribueraient les prêtres ?

Le dessinateur répond mécaniquement :

— Graver des feuilles volantes pour le clergé de Strasbourg... Au moment de présenter sa facture, on risque davantage des coups d'épée que des florins.

Face à ce mari immobile et débraillé semblant tellement consterné, le deuxième soldat aimerait savoir :

— Comment ça va ?

— Les joies sont bien petites mais les peines immenses.

Le jour luit à travers les rideaux mouvants de la chambre et le chanoine questionne :

— On dit que c'est chez vous qu'a démarré l'épidémie de danse. Où est votre femme ?

— Morte, vous ne saviez pas ?

— Ah bon, mais c'est arrivé quand ?!

— Alors ça, c'est arrivé quand et pourquoi ?...

La chambre est vide, le rez-de-chaussée aussi. Le chanoine ordonne à ses deux sous-fifres :

— Bon, allez, on y va. Il se fait tard. Dans la cathédrale, le rayon vert, lui, a dû déjà quitter le front du Christ !

Ils partent. Melchior, aussitôt debout, soulève le couvercle du grand coffre d'où il sort une Enneline aux airs hagards. Absorbée par l'infini et muette, elle paraît somnambule, sans intérêt pour quoi que ce soit sauf la sensation de la danse, mais elle pourrait à peine traîner ses pieds. Son mari lui tend la main pour l'aider à franchir une des parois du coffre en articulant :

— Viens, je t'attends. Pourquoi ne parles-tu plus jamais ?

Soulevant avec difficulté une de ses cuisses, l'espoir en Enneline n'ouvre pas sa chrysalide. Plus rien n'est accroché à ses rêves. Son teint livide, ses yeux rougis feraient fuir les regards sauf celui de Melchior qui la prend entre ses bras avec ses pleurs. Il l'enlace peut-être trop fort. Elle geint un petit peu alors il chuchote à son oreille :

— Quel secret m'as-tu dit tout bas ?

Des doigts à tous deux s'avancent, s'emmêlent, et dans l'air se perdent. En leur paume à chacun, une très courte ligne de vie d'enfant à peine né, comme une brindille, tourbillonne.

24.

Entre trente et trente-cinq à multiplier par soixante chariots, faites le calcul... Presque deux mille danseurs partent en convoi. Quelle technoparade ! Une poissarde, plantée bien en vue du public devant la porte de Saverne, s'époumone et leur crie :

— Bon voyage !

L'évêque reste en ville avec ses gardes. Des chanoines, clercs et prêtres strasbourgeois conduisent le cortège. Ils portent tous un grand cierge éteint à l'effigie de saint Guy et vont à pied, un devant et deux derrière chacun des véhicules alourdis d'une âpreté tenant de la déraison, advienne que pourra. Les bêtes s'ébranlent et la succession de tombereaux s'éloigne. Autour d'eux, les volailles des fermes ont crevé et le blé, la vigne, desséché sur pied. Plus loin de la cité, la campagne, qui fut d'une fécondité proverbiale, porte les stigmates des graves dégâts subis par les arbres fruitiers dus aux excès météorologiques et tremblements de terre ayant récemment secoué la vallée rhénane. Où sont partis migrer tous les oiseaux qui ont déserté la région ? Les cataclysmes du ciel ont détruit jusqu'à ses hôtes les plus nobles. Les perdrix, faisans, coqs de bruyère – morceaux d'apparat des tables de Strasbourg – ont tellement cessé d'être communs qu'on peut craindre que les générations futures n'en mangeront plus jamais... C'est à en perdre la tête, à danser peut-être !

Les enceintes et tours crénelées de la ville fortifiée se trouvent dès lors à l'horizon. Les danseurs aux visages crispés crient de douleur à cause de l'épidémie très nouvellement imputée à saint Guy. Désolés, décrépits, poudreux, sales, abjects, visqueux, fêlés, la tête lourde dans l'air troublé, leurs yeux se ferment. La nature elle-même est prise entre les mailles des filets de cette vie. Ce sont encore des sols déshydratés et craquelés, d'autres récoltes brûlées. Le froid de mai a fait geler les quetschiers en fleur par la faute d'une tempête de grêle qui a tout détruit. L'obscénité des décolletés exhibe entièrement les seins des danseuses. Cela ne soulage pas la terre en démence dont les galets portent déjà le deuil. Les voyageurs poursuivent sans armes, seulement bercés par le pas des bœufs franchissant des lits de ruisseaux taris, des champs de légumes pulvérisés. Mais voilà, quoique calcinés, la myrtille, le sapin pectiné, la digitale pourpre, le chêne sessile, l'alisier blanc, le sorbier des oiseleurs, car débute ici la côte de Saverne. Les ecclésiastiques allument leur cierge maintenant coiffé d'une flamme qui s'agite sur le crâne du saint à la façon d'une chevelure rousse.

L'accès pentu devient difficile sous un manteau forestier sec et dense où quelques loups affamés regardent, de loin, passer le convoi en faisant parfois luire leurs yeux parmi les ombres. Sang des plantes de pieds inondant le plancher des carrioles, en un état de langueur et d'étonnement, les danseurs sont comme dans un rêve flottant et les danseuses s'animent, se balancent, en mesure à l'intérieur de robes suaves. Valse mélancolique et langoureux vertige au ras des premières falaises, quel collier de misère sur le grès vosgien de rochers partiellement abrupts. La chaussée comporte des ornières de la taille d'un diamètre de roue de charrette et les bêtes qui tractent se trouvent à la peine. Elles ralentissent ou pressent la cadence du transport des angoissés aux fortes émotions de l'âme et cœur en état de stress extrême. Peu à peu, le trajet se révèle être un combat de tous les instants. Avec la fatigue, les mouvements des bœufs faibles ou malades deviennent désordonnés, saccadés, le long des escarpements périlleux. Dorénavant, au-dessus d'abîmes vraiment sourds, la route est particulièrement dangereuse. Les animaux de trait doivent reprendre leur souffle. Les ombres et les clartés se mêlent. Le chemin étroit se resserre, absolument rocailleux. Ce voyage n'a vraiment rien d'agréable le long du sentier au fort dénivelé irrégulier et sinueux. En temps normal, les gens sur les plateformes des chariots bourrés à craquer s'écrieraient : « C'est vraiment scandaleux de ne pas rendre plus sûr un pèlerinage ! » Les ecclésiastiques à pied s'épongent le front. Plus haut maintenant, les loups attendent et espèrent ce joli monde.

Il reste encore pas mal de centaines de mètres à parcourir à travers chênes et frênes. Allez, disons une heure de montée très raide avant d'atteindre enfin l'obscure grotte à miracle située dans une anfractuosité de roche rose au sommet de la colline si difficile d'accès et bordée de ravins étourdissants. Mais d'abord se présente un assez long faux plat en quasi ligne droite qui apaisera les bêtes avant l'ultime effort. On nomme ce lieu-dit *L'École des Sorcières*. Les soixante carrioles s'y alignent à la queue leu leu et s'arrêtent un peu. Pendant que, déchirés et dépenaillés, les malades du système locomoteur dansent encore plus sauvagement, les cent quatre-vingts ecclésiastiques (dont aussi des vicaires, aumôniers, moines convers ou profès, diacres, etc.) s'installent le long du cortège. Dos contre la montagne et à trois par véhicule – deux près d'une roue avant et arrière, le dernier au milieu –, ils s'accroupissent pour saisir le bord droit des plateformes. Au bout de leur chaîne de cou, flottant alors devant la soutane, le Christ en laiton prend un air roublard.

— Oh, hisse, Dieu vous bénisse !...

Les curetons se relèvent ensemble et renversent les tombereaux vers le ravin d'autant plus facilement que les danseurs les y ont aidés involontairement en glissant sur la gauche des planchers penchés par l'effort d'élevage. Les bœufs, coincés entre les brancards, sont entraînés aussi. Les farandoleurs précipités dans le vide y tournoient cul par-dessus tête en des cabrioles extravagantes comme ils n'en avaient jamais réalisé. Lors de la chute vertigineuse, ils ne savent plus à quel saint se vouer pour se sauver. En tout cas pas à saint Guy car les chanoines et autres, ramassant les cierges à son effigie qu'ils avaient délaissés sur les cailloux avant d'accomplir leur forfait, les jettent maintenant, enflammés, au fond de la profonde vallée emplie d'arbres morts, broussailles sèches qui aussitôt s'embrasent. Un vaste incendie s'y généralise. Le feu de forêt s'étale en contrebas de la falaise où les danseurs, en proie aux dangers néfastes de l'abîme, se sont cassé les reins, le cou, éclaté le crâne contre des pierres. La vallée, en ouvrant sa bouche de feu, engloutit les délivrés des tourments et bientôt plus rien ne bouge... Fin du bal !

25.

Ça danse encore au bord du fossé entourant la Maladrerie, non loin de l'Église Rouge, hors les remparts de Strasbourg. De nuit, à même un tas de chair grouillante, des asticots blancs glissent les uns sous les autres. Ils dansent. Se croyant invisibles aux étoiles, beaucoup d'autres sortent d'on ne sait où pour rejoindre la foule des insensés qui ondulent et luisent en surface. L'ensemble produit comme un très faible brouhaha d'eau filtrant à une source, un bruit de larmes. Certains asticots ont des allures de rustres s'en allant en guerre de quel air ! Ils s'étirent et virent, se mêlent à des ondulations de vagues générales qui usent le corps et le moral à les regarder. Saisis d'une terrible fureur remuante, leur danse est l'acte des métamorphoses. On peut repérer une coulée de farandole s'épanchant soudain sur un côté. On n'arrête pas ce peuple qui danse. Voir défiler la multitude fiévreuse et folle ne réussirait guère à ramener le repos dans des âmes troublées. Elle n'est composée que de libres rampants, lubriques et impertinents, pleins de lascivité et sans respect, qui développent un voluptueux désir d'entrer en des rondes. Ah, l'imagination de ces minuscules putains et gredins blancs entraînés par le délire d'une danse fantastique comme si c'était un phénomène naturel.

Le tas, dans son entier, est traversé d'un carreau d'arbalète. En fait il est l'assemblage de deux corps couchés et enlacés face à face. Une seule flèche les a plantés d'un coup, pénétrant le dos de l'un pour se figer dans la poitrine de l'autre. Avec de l'imagination, on pourrait reconnaître Attale et Jérôme Gebviller quoiqu'ils aient beaucoup changé. Ils ont grossi – il était temps ! – et même tellement gonflé que leur peau étirée se déchire par endroits. En une fente qui s'ouvre, la danse, telle qu'à travers une venelle, forme une Voie lactée. Passant sur des lèvres, elle efface lentement les marques de baisers. Les asticots pénètrent des yeux creux peuplés de visions nocturnes. Ces chapelles à demi ruinées leur serviront d'étables. Ils avancent par faibles bonds. Alors oui, bien sûr, on pourrait parler d'irrésistible dégoût à l'adresse de ce vil tas d'ignominie et de ballets ignobles !... mais en regardant autrement on pourrait y voir aussi de la beauté. Parce que ces tonneliers couchés se faisant face ont le dos courbé et la tête enfouie dans les épaules de l'autre, les genoux enchevêtrés et bas des jambes, pieds, assemblés en une pointe, leur forme globale ressemble à celle d'un cœur piqué d'une flèche, pas tout à fait de Cupidon mais... Les deux victimes, aux âmes délestées d'un secret dont ils s'accusaient et d'une honte partagée, évoquent ce dessin typique que les amoureux gravent dans l'écorce des arbres avec l'initiale de leur prénom de chaque côté. Peut-être Attale et Jérôme sont-ils morts en cette position pour qu'il reste quelque part dans la nature le souvenir d'un amour dément.

26.

— Snif, snif, c'est quoi ce nouveau désastre ?
Il pue.

L'*Ammeister* Andreas Drachenfels s'interroge et
grimace en reniflant le premier plat qu'un domestique
dépose entre lui et l'évêque qui, à la demande du
maire, a accepté de l'inviter pour déjeuner dans sa
résidence épiscopale.

— Il s'agit d'une venaison de cerf en une compote
de figues piquées d'amandes blanches, mijotée spécia-
lement pour vous satisfaire par mon célèbre cuisinier
Jacques de Landsperg, répond fièrement Guillaume de
Honstein.

Entre trois doigts de sa main droite, Drachenfels
s'empare d'un succinct morceau qu'il glisse avec difficulté entre ses grosses moustaches resserrées par-
dessus sa bouche comme si elles refusaient qu'il avale
ce dont l'évêque paraît si content.

— Acides, les amandes... Ça laisse comme une
amertume tenace qui me reste en travers de la gorge,
commente le chef du gouvernement de Strasbourg.

— J'ai voulu vous faire plaisir.

— C'est loupé. Quelle merde !

— Peut-être, *Ammeister*, préférerez-vous cette fricassée de chapon.

Drachenfels, aux joues devenues flasques et ventre déballonné, n'a aucun appétit. Il grignote du bout des dents :

— Trop cramée, toute cette volaille. Le maître queux du clergé est le rôtisseur du diable. On se croirait au col de Saverne...

Le responsable laïque de la ville lève la tête. Dans l'ombre du rebord rond de son minuscule chapeau ridicule, ses yeux scrutent le prélat qui souffle sur les deux cuisses de poulet dont il s'est servi en gonflant ses joues comme pour attiser un incendie.

— Craignez-vous, Monseigneur, que le chapon se remette à danser ?

Dos à un mur décoré de fresques où l'on découvre des scènes de la vie de saint Jean l'Évangéliste, Honstein, pourtant mince, se révèle être un goulu balayeur d'assiettes, graisseur de lèvres, un remplisseur de panse. En goinfre, la bouche pleine comme si elle contenait une bourre de foin, il vérifie en mangeant, l'œil jaloux, que dans la pièce de vaisselle de son convive il n'y aurait pas quelque chose dont il se régalerait :

— Vous permettez ?

Sans attendre de réponse, il pique au maire un sotl'y-laisse. Il faudrait une bible pour décrire toutes les incartades qu'il commet aussi à table. Le silence bout dans l'immobilité jusqu'à ce que Drachenfels, contemplant encore sa viande qu'il juge calcinée, soupire :

— Les partisans de Luther, s'étonnant de ne pas voir revenir nos danseurs depuis plus d'une semaine, évoquent la possibilité d'une autre fricassée de grande ampleur... Serait-elle également une recette de la cuisine cléricale, Monseigneur ?

— Les nouveaux «réformateurs» se mêlent toujours de remarquer et de reprocher des choses qui ne les regardent point. Si c'est davantage à votre goût, *Ammeister*, servez-vous de ce brochet au bleu avec sa sauce aux herbes.

Cuillère parvenant avec peine à s'immiscer entre des moustaches obstinées qui cherchaient à bloquer son passage, le chef du gouvernement réussit à déglutir :

— Trop de mauvaise herbe a poussé dans ce plat ainsi qu'à Strasbourg.

Le prélat, carafe en cristal à la main, verse à boire à son invité :

— Vous verrez, ça passera mieux avec ce vin blanc rapporté de Grèce par les Turcs puisqu'il n'y en a plus en Alsace.

— Vous fréquentez les Turcs, l'évêque ? demande le maire avant que de revenir sur sa pensée précédente pour asséner : La catholique foi strasbourgeoise est tombée dans le caniveau.

Guillaume de Honstein déploie son étole et dans un effet de drapé, telle une statue du roi Salomon, il accuse à son tour :

— Voulez-vous que je vous rappelle le comportement de Strasbourg envers ses Juifs il n'y a finalement pas si longtemps ? Tous les bourgeois du grand conseil s'étaient tellement endettés auprès d'eux qu'ils ne savaient comment les rembourser puis ils ont eu une idée. Un jour de Saint-Valentin, les mille six cents Juifs de la cité furent brûlés au bûcher édifié dans leur cimetière en centre-ville et les élus de la municipalité n'eurent plus à s'acquitter d'aucune dette. Regardez cette petite feuille de papier froissée qu'on m'a apportée et que j'avais dissimulée sous mon assiette, *Ammeister*. C'est une œuvre du graveur de la rue du Jeu-des-Enfants. Alors certes vous n'étiez pas encore à la tête du conseil mais je vous la montre quand même pour vous rafraîchir la mémoire...

« Alors, vous comprenez, poursuit l'évêque, les leçons de la ville de Strasbourg, moi... Il y avait un problème. Il n'y a plus de problème. Ce n'est pas ce que vous vouliez ?

— À quel prix ?...

— Auriez-vous préféré que toute cette cité fortifiée danse jusqu'à la mort de son dernier habitant ?

— Quand même, peut-être deux mille incendiés...

— Mille six cents ou deux mille... Quand on hait, on ne compte pas.

Un domestique apporte une pâtisserie pittoresque constituée de dragées toutes peintes d'une petite croix noire qui salit les mains et colle aux doigts de l'*Ammeister* sans doute à cause de la canicule. Ce gâteau a la silhouette d'une église. Deux gargouilles fixées à son clocher se mettent à épancher de l'hypocras dans des vasques d'argent pour désaltérer les attablés en milieu de repas et Andreas Drachenfels demande :

— Allez-vous vider vos couvents regorgeant de victuailles, bière, blé, et enfin les offrir pour assurer la subsistance de la population, Monseigneur ?

Déjà deux heures. Hans Nagel, l'officier de bouche de l'évêque, vient annoncer : «Mes chers maîtres, il se fait tard, la cloche que vous entendez appelle aux vêpres. Nous allons devoir interrompre, hélas, le repas avant les écrevisses.»

— Les imaginant baignées dans une sauce suspecte ou une gelée honteuse, je me dis que certainement nous ne manquerons pas grand-chose... grommelle le maire.

On apporte dorénavant un second dessert représentant un jardin fleuri au milieu duquel s'élève un rocher surmonté d'une glorieuse Sainte Vierge en prière. Sa perruque confectionnée en pâte d'amande jaune citron a glissé le long de la nuque, à cause de la chaleur, pour tomber à ses pieds. La mère de Jésus se trouve alors tête nue comme ces putes au crâne rasé du quartier de la Petite France, interdites également de bijoux. La vénérée ploie dans la température élevée, son front bascule vers le sol et ses fesses s'étirent très en arrière. Tout en contemplation, Drachenfels la décrit :

— Chauve et maintenant voûtée, peut-être qu'elle a fait son temps, Marie... L'information du barbecue de Saverne ferait tellement le lit de la Réforme.

Le chef du gouvernement propose alors un deal à l'évêque :

— Si vous ouvrez vos couvents, monastères, chapelles, formant le plus grand garde-manger actuel de l'Empire afin de céder votre nourriture aux pauvres, moi, je ferai partout remercier saint Guy et, dans l'Histoire, l'exploit du miraculeux guérisseur des danseurs restera pour toujours la version officielle. Je trouverai le moyen d'incriminer les Turcs du non-retour en ville des farandoleurs. Après tout, nous pouvons bien les accuser à tort, on n'en a jamais vu dans la région. Je ne sais même pas comment c'est fait, un Turc. J'ignore si seulement ça existe vraiment. Vous savez, moi, de Léon X ou de Luther, je m'en fous aussi. Je veux seulement que lorsque ça déborde de mets à votre table les habitants ne meurent plus d'une faim telle qu'elle conduise à danser. Mais en cas de refus d'obtempérer d'ici deux jours, Monseigneur, je vous balance, annonce que, comme le prétendent les réformateurs, le pèlerinage à la grotte de Saverne n'a bien été qu'un criminel attrape-nigauds et alors là... les Strasbourgeois feront aussitôt irruption dans la cathédrale et réduiront en pièces les statues des saints. Ils détruiront la tombe de sainte Aurélie. La vénération, chez nous, des martyrs, Guy et autres, mourra de sa belle mort. Tisserands, tailleurs, ferronniers, etc., embrasseront la cause luthérienne. Quant à votre propre intégrité physique, Monseigneur, priez pour elle !

— On ne me fera rien, en est persuadé l'évêque. Seuls les petits voleurs sont gibiers de potence. La toile d'araignée prend les moucherons mais ne retient jamais le taon.

— Certes, le dieu des catholiques n'y voit goutte ou sa mémoire est courte, admet le maire, mais on finira par vite abolir la messe à Strasbourg. Luther instaurera le mariage des moines et des clercs, renoncera aux privilèges. Les offices seront célébrés en allemand, ce qui m'arrange, car mon latin à moi sort de la cuisine.

À la table de l'évêque se sentant pris à son propre piège et dont les couleurs se ternissent, l'*Ammeister*, simple brasseur, le pilonne encore :

— Les bénéfices des chanoines, les vôtres, les richesses des églises seront confisqués. Les protestants pilleront et saccageront dans votre diocèse les lieux de culte catholiques. Ce sera la mise à l'écart des représentations de la Vierge, des tableaux des saints. On martèlera tout dans la galerie des apôtres. Le chœur de l'église des clarisses sera d'office vidé de ses céréales et aussi de ses pierres, sculptures de martyrs, qui seront utilisées pour renforcer les remparts. On fracassera les tombeaux de la cathédrale pour en faire du matériel de construction qui servira à consolider la porte Cronenbourg et alors la ville sera passée à la Réforme !

Devant l'évêque qui semble n'avoir plus que brouillard en tête, Andreas Drachenfels se marre pour la première fois depuis qu'il est là :

— Ah, ben c'est comme ça, Monseigneur ! Qui a voulu jouer à renverser les quilles devra les redresser s'il veut rester dans le jeu. Quand on ne réfléchit qu'après avoir agi on a l'air de servir moutarde après dîner.

Guillaume de Honstein se lève et, entre deux doigts décorés de bagues, il s'empare du cul pâtissier de la

27.

Le lendemain matin, en haut de la tour de la cathédrale, le guetteur sourd n'en revient pas. La *Tüerkeglock* pleure. Deux ou trois larmes ruissellent le long de son bronze fêlé. Après l'avoir désignée, le veilleur, poings serrés tournoyant, frotte ses yeux de vache afin d'indiquer à ceux d'en bas que la cloche près du ciel a du chagrin. Pour alerter la population, il n'ose pas en plus frapper à coups de marteau celle qui a déjà tant de peine. Le temps que, tête relevée, les Strasbourgeois comprennent ce langage des signes, ils pleurent aussi mais de joie car il pleut.

C'est une pluie verticale et régulière composée de lignes alternant des points et des traits comme un alphabet morse, une littérature venue d'en haut, indéchiffrable par les athées. Sous les premiers filets d'eau chutant des gargouilles de la cathédrale, les gens tirent leur langue sèche et boivent. On dirait qu'ils se régalent de l'eau de source du mont Sainte-Odile. La voix pleine de crénoms, un rire les renverse. Leurs souffles, se désaltérant, rejettent des baisers de buée aux nuées. Après avoir d'abord percuté le sommet de la haute tour, la pluie tombe interminablement. On croirait aussi qu'une fée a allumé dans le ciel infernal une miraculeuse aurore. Dehors, parmi les habitants incrédules, les mots, les sourires, tout pousse à la manière d'un jardin de poèmes nouveaux. Tant de mois qu'ils n'avaient pas vécu ça. En leur âme sombre, ils sentent émerger un joli reflet. En serait-il fini de la misère comme un abandon de Dieu ? Il pleut de l'espérance. Ça coule dans les décolletés. Ça lave de la vermine les peaux en des rigoles d'eau sale.

— Jouissons du meilleur. Jetons enfin le pire !

Ça s'amuse bientôt à des gamineries. Une femme décatie – fille de Bacchus et de Vénus vieillie – souhaite dans un geste la bienvenue à la pluie. Et comme un bonheur n'arrive jamais seul, soudain quelqu'un déboule en criant partout sur les places, au-dessus des ponts, et même le long des venelles :

— Les couvents, remplis ras la gueule, ouvrent leurs portes pour donner de l'avoine et de l'orge aux pauvres ! Allez-y tous ! Le blé de la spéculation entassé dans les monastères est absolument bradé. Le prix de son quartaut grimpé jusqu'à plus de dix florins plonge subitement à cinq batzens seulement. Le clergé plafonne le tarif de la farine aux boulangers à sept schillings et six pfennigs. C'est du jamais-vu ! Des quintaux de légumes gardés par les maisons religieuses de la ville sont à distribuer. Les barriques de bière sont laissées à prix dérisoires et la taxe ecclésiastique sur la viande de porc séchée, les poissons fumés, est supprimée ! Pour les mendiants, les stocks des curés formés durant les bonnes années sont offerts ! Goinfrez-vous ! Les alternances de chou aigre râpé, sel, genièvre, et cumin conservées dans de grandes jarres en grès sont servies pour tous à la louche ! L'Évêché éparpille cinquante mille quartauts de nourriture datant de quand les récoltes étaient pléthoriques ! Bon appétit à chacun !...

Les Strasbourgeois, en se frottant les oreilles sous la pluie, se demandent si c'est la Saint-Nicolas. Une veuve déboussolée qui confond tout enlace fougueusement l'annonceur de bonne nouvelle en lui avouant :

— Mon évêque, mon bon ami, c'est toi que je préfère, tu es mon vrai chéri !

Un potier, pendant que son épouse court à l'église avec des bassines vides, ramasse au sol de la boue d'argile pour tourner à nouveau vaisselle, cruches, ou pots à lait. Sous la pluie qui persiste il renaît tant de choses. Tout tressaille. Sur les galets des rues, quelques premiers tonneaux de bière roulent dans des vacarmes. Dieu, que ces rondeaux enchantent la population ! Les habitants disparaissent à l'intérieur des lieux de culte catholiques comme est absorbée l'eau qui se perd dans le sable. Même les soldats des fortifications y vont en cavalant après avoir abandonné leurs armes – couleuvrines, canons à double fût. Quelqu'un, un rare encore un peu lucide, s'en étonne :

— Mais si les Turcs nous attaquaient maintenant ?!...

— Les Turcs, ouh là, là !... lui répond le capitaine Johannes Gensfleisch, toujours torse nu mais les jambes baignant dans ses étanches cuissardes métalliques qui débordent. Les Turcs, après avoir enlevé tous les danseurs revenant guéris du col de Saverne pour les conduire en esclavage vers leur pays d'orangeade, s'en sont repartis satisfaits !

— Ah ? Bon, c'est triste pour les farandoleurs mais les Turcs sont partis, avez-vous dit ? Ouh, ça fait du bien ça aussi !...

28.

— C'est toi qui as gravé ça, Enneline, pendant que je me faisais raser à crédit chez le nouveau barbier installé à la place des tonneliers d'en face ? Ça représente des jambes qui tournoient avec leur pied au bout, hein ? C'est joli et puis tu as tracé au milieu le « e » de Enneline...

« Bravo, chérie. Tu restes muette mais commences à t'exprimer en une image, c'est déjà ça. Il y a un mieux. C'est ce qu'en ville les gens prétendent depuis qu'il pleut. Un de nos rares voisins de la rue, puisque tous les autres partis pour Saverne... m'a montré un petit point vert apparu dans la mousse de son mur. Ça pousse. Des fleurs d'automne ouvriront peut-être leurs corolles. Il est possible que cet hiver des carottes de saison, épinards, mâche, choux blancs, poireaux, apparaîtront aux étals des marchés, qui sait ? Les jardins auront repris vie, les dégâts agricoles seront moins visibles. Déjà les eaux douces de la Bruche et de l'Ill, plus transparentes, empestent moins. Il paraît que l'activité portuaire de Strasbourg recommence doucement. On attend des charrettes de laine venues d'Écosse.

Melchior Troffea parle d'une voix grave et basse à son épouse. Il lui chuchote près de l'oreille le velours d'une belle eau qui passe en imaginant que c'est d'un chant berceur dont elle a besoin. Mais rien n'égale la lassitude de sa jeune femme au crime maternel. De sa fatalité, jamais elle ne s'écarte.

De ses joues devenues glabres, le mari artiste caresse celles de sa *Frau* qu'il soutient ensuite par un bras pour l'entraîner dehors, sous leur enseigne, afin qu'elle contemple la pluie continue et tranquille d'un arrosage bienfaiteur sur la ville et ses alentours. Enneline, front penché et toujours aussi maigre – les rations de bouillie d'avoine parsemée de gras de lard fumé ne l'ont pas encore étoffée – découvre dans le reflet d'une flaque ses appas démolis qui la font, dans l'atelier, reculer d'épouvante. Le deuil d'un si jeune jusqu'à la mort continue d'aboyer en elle et il est vrai que la danse des deux derniers mois l'a défaite fleur à fleur.

— *Sitze ihr güet ?* (Tu es bien assise ?)

Devant son pupitre incliné, après avoir aidé à s'asseoir sur le tabouret sa quasi-paralysée de la moitié inférieure du corps, le graveur lui défait sa coiffure en vrac pour remettre ses cheveux blonds dans l'ordre d'une tresse. Il lui entoure également le cou, constellé de taches de rousseur, d'un lacet pour embellir d'une illusion de bijou cette épave, ayant en fait gardé une étonnante beauté paysanne, à qui il promet que si c'était à recommencer...

— Chérie, c'est le retour d'une démocratie sans désordre, la richesse sans luxe. Pourrait-on concevoir bonheur plus réel que cette harmonie nouvelle ? Encore que... On avait une religion, maintenant nous en avons deux à vouloir escalader le ciel... Ça promet aussi, ça !

La parfaite épouse aux sourcils crispés, de la main gauche, fronce alors sa jupe tandis que de la droite elle fait claquer le tempo d'un doigt frotté par le pouce dans sa paume. *Tap, tap, tap...* Melchior, d'un poing, lui bloque cette main :

— Plus de rythme, Enneline. Je ne sais pas comment on va s'y prendre mais on s'en sortira.

29.

Cinquante-quatre ans plus tard, c'était la Saint-Barthélemy.

Remerciements pour leur collaboration
plus ou moins volontaire à :

John Waller, *Les Danseurs fous de Strasbourg* (La Nuée Bleue-Tchou) / Docteur Roth, *Histoire de la musculation irrésistible ou de la chorée anormale* (J.-B. Baillière, 1850) / Paracelse, *Œuvres médico-chimiques ou Paradoxes* (Éditions Chacornac) / Paul Adam, *Charité et assistance en Alsace au Moyen Âge* (Istra) / Michelet, *La Sorcière* (Flammarion) / Sébastien Brant, *La Nef des fous* (La Nuée Bleue) / Daniel Specklin, *Les Collectanées, chronique strasbourgeoise du seizième siècle* (Éditions J. Noiriel, 1890) / Claire Bicquard, *Le Mal de saint Guy* (*Bulletin du Centre d'histoire de la médecine*) / Gilbert Rouget, *La Musique et la Transe. Esquisse d'une théorie générale des relations de la musique et de la possession* (Gallimard) / Liliane Châtelet-Lange, *Strasbourg en 1548, le plan de Conrad Morant* (Presses universitaires de Strasbourg) / Roland Oberlé, *La Pfalz, cœur et symbole de la vieille république de Strasbourg* (*Annuaire des Amis du vieux Strasbourg*) / Johannes Mülich Adelphus, *La Chronique turque* (Martin Flach) / Lucie Maechel et Théodore Rieger, *Strasbourg insolite et secret* (Éditions Jean-Paul Gisserot) / Charles Gérard, *L'Ancienne Alsace à table* (Imprimerie de Camille Decker, 1862) / Guy Trendel, *Chroniques de Strasbourg 1394-1621* (La Nuée Bleue) / Guy Trendel, *Racontez-moi Strasbourg* (La Nuée Bleue) / Marceline Desbordes-Valmore, *Poésies* (Gallimard) / Traductions alsacien-français : François Wolfermann de la librairie Kléber à Strasbourg, Aline Martin / Gravures : Richard Guérineau, Fraggle / Julien Bisson.

POCKET N° 17016

« *Un florilège de mininouvelles poétiques et optimistes sur des gens ordinaires.* »

Version Femina

**Jean TEULÉ
COMME UNE
RESPIRATION**

« De l'air ! » Dans les trains, les métros, de Souillac à Dijon, de Paris à Besançon, c'est le même cri d'une même aspiration. Dans la vie qui va vite, Jean Teulé écoute le souffle de ses contemporains, le chant des oiseaux entre des murs bretons, le vent du large et les soupirs, les derniers râles et les premières exhalaisons. Celui qui sait trouver les cerises dans le plus sévère conifère sait qu'il suffit de l'attraper au vol, comme elle va et vient : l'inspiration...

**Tous les grands succès de Jean Teulé
sont chez Pocket.**

Retrouvez toute l'actualité de Pocket sur :
www.pocket.fr

POCKET N° 16499

« *Polisson et*

jubilatoire. »

François Busnel
L'Express

Jean TEULÉ
HÉLOÏSE, OUILLE !

Île de la Cité, 1118. Théologien et dialecticien acclamé, Abélard était promis, aux dires de tous, aux honneurs de Rome. Chargé par le chanoine Fulbert de veiller à l'éducation de sa nièce, la moins candide qu'il n'y paraît Héloïse, le sage professeur prendra ses devoirs plus qu'à cœur – à corps, et à cris. Au programme : foin de grammaire ni de latin ! Rien de moins que l'amour, l'amour fol, absolu. Hors pair(e).

**Tous les grands succès de Jean TEULÉ
sont chez Pocket.**

Retrouvez toute l'actualité de Pocket sur :
www.pocket.fr

POCKET N° 15766

« *Avec sa verve coutumière, faisant la part belle aux tropismes bretons, il en a tiré une épopée romanesque riche en échappées mystiques et en saveurs... vénéneuses !* »

LiRE

Jean TEULÉ
FLEUR DE TONNERRE

Ce fut une enfant adorable, une jeune fille charmante, une femme compatissante et dévouée. Elle a traversé la Bretagne de part en part, tuant avec détermination tous ceux qui croisèrent son chemin. Elle s'appelait Hélène Jégado, et le bourreau qui lui trancha la tête le 26 février 1852 sur la place du Champs-de-Mars de Rennes ne sut jamais qu'il venait d'exécuter la plus terrifiante meurtrière de tous les temps.

Tous les grands succès de Jean TEULÉ sont chez Pocket.

Retrouvez toute l'actualité de Pocket sur :
www.pocket.fr